rowohlts monographien
begründet von Kurt Kusenberg
herausgegeben
von Wolfgang Müller und Uwe Naumann

Die Weiße Rose

mit Selbstzeugnissen
und Bilddokumenten
dargestellt von
Harald Steffahn

ro
ro
ro

Rowohlt

Redaktionsassistenz: Katrin Finkemeier
Umschlaggestaltung: Walter Hellmann
Vorderseite: Hans und Sophie Scholl mit Christoph Probst (rechts)
unmittelbar vor dem Abtransport der Studentenkompanie
zu einem Lazaretteinsatz nach Rußland am 23. Juli 1942
(Foto: George J. Wittenstein.
Vorlage: Geschwister-Scholl-Archiv, Rotis)
Das fünfte Flugblatt, Januar 1943
(Copyright © by Geschwister-Scholl-Archiv, Rotis)
Rückseite: Roland Freisler
(Archiv der sozialen Demokratie, Bonn)

Originalausgabe
Veröffentlicht im Rowohlt Taschenbuch Verlag GmbH,
Reinbek bei Hamburg, Juli 1992
Copyright © 1992 by Rowohlt Taschenbuch Verlag GmbH,
Reinbek bei Hamburg
Alle Rechte an dieser Ausgabe vorbehalten
Satz Times PostScript Linotype Library, PM 4.0
Langosch Grafik + DTP, Hamburg
Gesamtherstellung Clausen & Bosse, Leck
Printed in Germany
ISBN 3 499 50498 7

7. Auflage Februar 2005

Inhalt

WILLI GRAF · PROF. KURT HUBER · HANS LEIPELT
CHRISTOPH PROBST · ALEXANDER SCHMORELL
HANS SCHOLL · · SOPHIE SCHOLL

M · C · M

X · L · III

Mahnmal für die Weiße Rose im Lichthof der Münchner Universität

Kriegswende

Der «Völkische Beobachter» erschien mit Trauerrand. Die Niederlage war zu groß, als daß man sie, wie sonst, hätte verharmlosen oder verheimlichen können. So stellte die Propaganda sie statt dessen als Heldenepos dar, wie der Nibelungen Not. Vielleicht konnten aus der Tragödie neue Energien fanatischen Abwehrwillens gewonnen werden. «Der Kampf um Stalingrad ist zu Ende», meldete das Oberkommando der Wehrmacht am 3. Februar 1943. Das NS-Parteiorgan «VB» wie auch die anderen Tageszeitungen druckten die offizielle Nachricht ab. «Ihrem Fahneneid bis zum letzten Atemzug getreu, ist die 6. Armee unter der vorbildlichen Führung des Generalfeldmarschalls Paulus der Übermacht des Feindes und der Ungunst der Verhältnisse erlegen ... Unter der Hakenkreuzfahne, die auf der höchsten Ruine von Stalingrad weithin sichtbar gehißt wurde, vollzog sich der letzte Kampf. Generale, Offiziere, Unteroffiziere und Mannschaften fochten Schulter an Schulter bis zur letzten Patrone. Sie starben, damit Deutschland lebe ...»

Göring verglich diesen Verzweiflungskampf mit dem Untergang der Spartaner bei den Thermopylen. In der «Prawda» war die Tonart ein wenig abweichend. «Unser ganzes Land, die ganze Welt hat gestern die freudige Nachricht erreicht: Der letzte Widerstandsherd des Gegners im Gebiet von Stalingrad ist ausgelöscht ...» Das Blatt druckte einen Tagesbefehl Stalins: «Vorwärts, zur Vernichtung der deutschen Okkupanten und ihrer Vertreibung aus unserer Heimat!»[1]

Mit äußerster Anstrengung hatte der südliche Verteidigerring der Deutschen mit dem Hauptquartier des Oberkommandierenden das Zehn-Jahres-Jubiläum des Hitler-Reichs überstanden, am nächsten Tag aber, am 31. Januar, den Funkspruch gesendet: «Auflösungserscheinungen. Keine einheitliche Befehlsführung mehr möglich.»[2] Kurz darauf standen Russen vor der unterirdischen Kommandozentrale. Im nördlichen Teilbereich des aufgespaltenen Kessels erlosch der Widerstand um General Strecker am 2. Februar.

In den Kellern zerschossener Gebäude liegen 12 000 Verwundete bei minus 30 Grad Außentemperatur. Die gehfähigen Gefangenen, 91 000, ziehen in endlosen Kolonnen aus den Ruinenfeldern der Stadt in die Steppe hinaus. Bilder von erschütternder Verlorenheit. Nur 6000 werden eines Tages nach Hause zurückkehren.

Der psychologischen Kriegswende vor Moskau Ende 1941 ist somit Anfang 1943 bei Stalingrad die militärische gefolgt. Jetzt sah man nicht mehr nur das erste ruckartige Anhalten der bis dahin unwiderstehlichen deutschen Kriegsmaschine. Vielmehr geriet an der Wolga – und nicht nur dort – die gesamte Vorwärtsbewegung der Wehrmacht in einen unumkehrbaren und künftig nur noch vorübergehend unterbrochenen Verteidigungs- und Rückzugszwang. Von den weitest erreichten Ausdehnungen wichen die Fronten nun Schritt für Schritt, wortwörtlich, vor immer überlegener werdenden gegnerischen Kräften: zuerst in der libyschen Wüste, jetzt in der kalmückischen Steppe. Eine ins Absurde überdehnte Herrschaftsdecke, unter welcher neuer «Lebensraum» gewonnen werden sollte, riß an allen Ecken und Enden. Auch der Luftkrieg der Alliierten gegen die deutsche Zivilbevölkerung nahm an Härte zu.

Das war die neue Chance und Stunde für den Propagandaminister Jo-

Stalingrad 1943

seph Goebbels. Je spürbarer der Feindesdruck wurde, je mehr die «Heimatfront» den so gesehenen Weltanschauungskampf mitzutragen hatte, desto dringlicher glaubte er sich aufgerufen, aus der demagogischen Schattenzone der letzten Jahre herauszutreten. Die vergangenen strahlenden Siege, gewiß, die hätte er nicht missen wollen; sein Talent aber entzündete sich eher an den Bedrängnissen, deren man sich mit dem Rücken zur Wand erwehrt. Hatte nicht die «Bewegung» kümmerlichste politische Anfänge einst in Triumphe verwandelt, wobei man sich mit den Mitteln der Rhetorik buchstäblich an die Macht redete? Jetzt, da die Meinungsschnüffler der Gestapo «einen bisher nicht gekannten Tiefstand»[3] in der allgemeinen Stimmung meldeten, schien es an der Zeit zu sein, die Verzagenden aufzurichten und den Miesmachern die Stirn zu bieten. Niederlage? Eine schöpferische Siegespause, weiter nichts. Wenn Propaganda die Kunst ist, den Teufel mit zwei gesunden Füßen zu zeigen, dann besaß sie in Goebbels ihre meisterhafte Verkörperung.

So folgte dem 2. Februar wohlgeplant der 18., dem Verstummen der Waffen in der Trümmerwüste Stalingrads der Appell an den Behauptungswillen im Berliner Sportpalast. Schon bei der Abfahrt aus dem Ministerium wußte der Minister: «Heute gibt es eine Demonstration, dagegen wird sich die vom 30. Januar [1933] wie eine Versammlung der Wirtschaftspartei ausnehmen.»[4] Diese Voraussicht schien obendrein eines sirenenfreien Abends sicher zu sein, als hätte er die unberechenbaren britischen Bomberverbände für heute abbestellt.

Vor dem insgesamt drohenden Hintergrund der Zeitlage gestaltet das Energiebündel in der schlecht sitzenden Parteiuniform die Massenkundgebung zu einer Orgie des Durchhaltewillens. Mit seiner wiegenden Sprechmelodie, den gedehnten Vokalen, den hallenden Fermaten heizt Goebbels den Menschenkessel an, bis ein Hexenkessel daraus wird; bis er den Saal im Taumel des Selbstvergessens weiß. Er selbst freilich behält die kühlste Kontrolle über jede seiner Gesten und Stimmsteigerungen. Noch in der äußersten Leidenschaft ist er so ruhig wie das Zentrum eines Zyklons, die Elemente steuernd, nicht selber aufgewühlt. «Wollt ihr den totalen Krieg? Wollt ihr ihn, wenn nötig, totaler und radikaler, als wir ihn uns heute überhaupt vorstellen können?» Sie wollten ihn, massenbetäubt, wie sie waren, und der Krieg schlug so furchtbar zurück, wie er zuvor hinausgetragen worden war, und in manchem noch schlimmer.[5]

Ein berufsbedingt dabeigewesener Journalist, «ein ruhiger, bedächtiger Mann und Anti-Nazi, ertappte sich dabei, wie er aufsprang und um ein Haar mitgeschrien hätte, bis er sich beschämt wieder auf seinen Platz zurückfallen ließ»[6] – ein Beleg für die beängstigende Suggestivkraft des Redners, der hier ein demagogisches Lehrstück lieferte, dem wenige an die Seite zu stellen sind.

Zur selben Stunde verhörte die Gestapo in ihrer Münchner Zentrale, dem Wittelsbacher Palais, zwei Studenten, Hans und Sophie Scholl. Am Morgen dieses 18. Februar, einem Donnerstag, waren sie vom Hausmeister der Universität dabei beobachtet worden, wie sie Flugblätter vom zweiten Stock in die Eingangshalle warfen. «Zwei Augen hatten sich vom Herzen ihres Besitzers gelöst und waren zu automatischen Linsen der Diktatur geworden.»[7] Er nahm die Studenten fest, und die Universitätsleitung rief die Gestapo, welche die Ausgangstüren verschloß und alle greifbaren Flugblätter eiligst einsammelte. Manche Exemplare waren schon in «falsche» Hände gelangt: per Post. So wurde der hektographierte Hochverrat nicht nur amtlich gelesen. Der erste Absatz aus diesem letzten, bekanntesten Flugblatt:

Erschüttert steht unser Volk vor dem Untergang der Männer von Stalingrad. Dreihundertdreißigtausend deutsche Männer hat die geniale Strategie des Weltkriegsgefreiten sinn- und verantwortungslos in Tod und Verderben gehetzt. Führer, wir danken dir![8]

Zu denen, die durch heimliche Weitergabe an das geistige Schmuggelgut gerieten, gehörte auch Helmuth James von Moltke, Haupt des Krei-

Joseph Goebbels bei
seiner Rede im Berliner
Sportpalast,
18. Februar 1943

...und die Zuhörer

sauer Kreises. Er nahm ein solches Blatt mit zu einem Norwegen-Besuch
und übergab es dem Osloer Bischof Berggrav, damit er es bei erster Gelegenheit nach London schaffe. Tatsächlich wurde das letzte Flugblatt der
Weißen Rose alsbald durch BBC-Sendungen nach Deutschland zurück-
vermittelt und überdies von britischen Flugzeugen abgeworfen.

In einem kleinen Berliner Widerstandskreis, einem emsigen, bis zuletzt unentdeckten, trug Ruth Andreas-Friedrich am 10. März 1943 in ihr
Tagebuch ein: «Was geht in München vor? In München soll irgend etwas
geschehen sein. Etwas Illegales, Rebellisches. Die Studenten hätten sich
erhoben, erzählt man. Viele tausend Flugblätter seien verteilt worden.
Anschriften stünden an den Mauern: ‹Nieder mit Hitler! Es lebe die Freiheit!› Wir horchen herum. Wir brennen, Genaueres zu erfahren. Geht der
Sturm weiter? Hat man ihn schon erstickt? Es wird davon gesprochen,
daß Freisler...vor kurzem in ‹Sondermission› nach München gefahren
sei. Die Wahrheit! Die Wahrheit wollen wir wissen!»[9]

Damals war sie nicht leicht und nur bruchstückhaft zu erfahren; heute
liegt sie breit dokumentiert zutage. Gerade deshalb ist es nötig, ihr biographisch und geistig bis zu ihren Anfängen nachzugehen und sie von da

11

her aufzuschließen. Das bedeutet, zuerst das Erleben und Erwachen einiger kritischer Jugendlicher im Dritten Reich nachzuerzählen. Eine typische Geschichte? Wahrscheinlich, aber nur für eine gewisse Zeit.

Das letzte Flugblatt der Weißen Rose wurde in England nachgedruckt und von britischen Flugzeugen über Deutschland abgeworfen

EIN DEUTSCHES FLUGBLATT

DIES ist der Text eines deutschen Flugblatts, von dem ein Exemplar nach England gelangt ist. Studenten der Universität München haben es im Februar dieses Jahres verfaßt und in der Universität verteilt. Sechs von ihnen sind dafür hingerichtet worden, andere wurden eingesperrt, andere strafweise an die Front geschickt. Seither wurden auch an allen anderen deutschen Universitäten die Studenten „ausgesiebt". Das Flugblatt drückt also offenbar die Gesinnungen eines beträchtlichen Teils der deutschen Studenten aus.

Aber es sind nicht nur die Studenten. In allen Schichten gibt es Deutsche, die Deutschlands wirkliche Lage erkannt haben ; Goebbels schimpft sie „die Objektiven". Ob Deutschland noch selber sein Schicksal wenden kann, hängt davon ab, dass diese Menschen sich zusammenfinden und handeln. Das weiss Goebbels, und deswegen beteuert er krampfhaft, „dass diese Sorte Mensch zahlenmässig nicht ins Gewicht fällt". Sie sollen nicht wissen, wie viele sie sind.

Wir werden den Krieg sowieso gewinnen. Aber wir sehen nicht ein, warum die Vernünftigen und Anständigen in Deutschland nicht zu Worte kommen sollen. Deswegen werfen die Flieger der RAF zugleich mit ihren Bomben jetzt dieses Flugblatt, für das sechs junge Deutsche gestorben sind, und das die Gestapo natürlich sofort konfisziert hat, in Millionen von Exemplaren über Deutschland ab.

Manifest der Münchner Studenten

Erschüttert steht unser Volk vor dem Untergang der Männer von Stalingrad. 330.000 deutsche Männer hat die geniale Strategie des Weltkriegsgefreiten sinn- und verantwortungslos in Tod und Verderben gehetzt. Führer, wir danken Dir !

Es gärt im deutschen Volk. Wollen wir weiter einem Dilettanten das Schicksal unserer Armeen anvertrauen ? Wollen wir den niedrigsten Machtinstinkten einer Parteiclique den Rest der deutschen Jugend opfern ? Nimmermehr!

Der Tag der Abrechnung ist gekommen, der Abrechnung unserer deutschen Jugend mit der verabscheuungswürdigsten Tyrannei, die unser Volk je erduldet hat. Im Namen des ganzen deutschen Volkes fordern wir von dem Staat Adolf Hitlers die persönliche Freiheit, das kostbarste Gut der Deutschen zurück, um das er uns in der erbärmlichsten Weise betrogen hat.

In einem Staat rücksichtsloser Knebelung jeder freien Meinungsäußerung sind wir aufgewachsen.

O.39

Jugend im Hitler-Reich

Zeitlich weit getrennt, wohnten sie räumlich eng beieinander: der Reichsritter mit der eisernen Hand in Jagsthausen an der Jagst und der spätere Medizinstudent in Forchtenberg am Kocher. Und weil sie beide empfindlichen Rechts- und Freiheitssinnes waren, so ist dies keine schlechte geschichtliche Nachbarschaft. «Freyheit! Freyheit!» ruft der erste, während er im Gefängnis stirbt; «Es lebe die Freiheit!» hallt die Stimme des anderen durch die Zellengänge, bevor ihn das Fallbeil trifft. Dazwischen liegen vier Jahrhunderte deutscher Vergangenheit, auch schwäbischer. Bei genauem Zusehen ist das erste der beiden dröhnenden Schlußworte nicht historisch; Goethe, in seinem Schauspiel «Götz von Berlichingen», gestaltet den Lebensausgang frei. Aber sollte das dramatisch ersonnene Ende uns nicht schätzenswert sein, wenn das echte, andere so verwandt in der verkündeten Gesinnung ist? Überdies sind Goethes letzte Dramenzeilen durchaus übertragungsfähig: «Edler Mann! Wehe dem Jahrhundert, das dich von sich stieß! Wehe der Nachkommenschaft, die dich verkennt!»

Forchtenberg im Kochertal war die erste Lebensetappe der «ganzen» Familie Scholl. Hier wurden 1920 bis 1922 die drei jüngeren Kinder geboren: Elisabeth, Sophie und Werner. Die beiden ältesten, Inge und Hans, waren 1917 und 1918 in Ingersheim an der oberen Jagst zur Welt gekommen. Der Vater Scholl, das sollte als Lebenshintergrund seiner tragisch berühmten Kinder Hans und Sophie nicht unerwähnt bleiben, hatte drei Jahrzehnte vor ihnen ebenfalls ein Zeichen des Bürgermuts, der Unerschrockenheit aufgerichtet. Es kostete nicht gleich den Kopf; aber im Begeisterungstaumel des August 1914 war es keineswegs gering gewesen zu sagen: Ich kann andere nicht töten. Der Absolvent der Höheren Verwaltungsschule in Stuttgart mußte dafür, daß er den Waffendienst verweigerte, Verwundete versorgen. In einem Lazarett in Ludwigsburg begegnete der Sanitäter Robert Scholl der Diakonisse Magdalene Müller. Sie wurde seine Frau. Im weiteren Kriegsverlauf berief ihn die Gemeinde

Das Rathaus von Forchtenberg im Kochertal, wo Robert Scholl als Bürgermeister amtierte

Ingersheim zum Bürgermeister. In den frühen Weimarer Jahren wechselte er im gleichen Amt nach Forchtenberg, wo die zur Siebenzahl anwachsende Familie im Rathaus geräumig wohnte.

Das Kocherstädtchen wurde die erste «richtige» Heimat der Scholl-Kinder; hier gingen sie eins nach dem anderen in die Schule, streiften durch die Weinberge und Mischwälder und erkundeten Burgruinen, die vom Bauernkrieg träumten. Im Kocher lernten sie schwimmen.

Der Verwaltungsfachmann Scholl, er muß ein willenskräftiger Fortschrittsgeist gewesen sein. Im beschaulichen Tal, fast im Angesicht der Götzenburg, könnte er mißmutig gedacht haben, daß die Berühmtheit eines Erdenwinkels ihn noch nicht unbedingt seiner hindernden Abgeschiedenheit entreißt. Der alten gelben Postkutsche, die die Einwohner zur nächsten Bahnstation brachte, wünschte er den Ruhestand und statt dessen Eisenbahnanschluß. Sein erlerntes Verwaltungskönnen wird ihm zu-

14

gute gekommen sein, als er sich bemühte, die Nebenbahn, die von der Linie Heilbronn–Schwäbisch Hall abzweigte und bis Künzelsau führte, nach Forchtenberg verlängern zu lassen. Schließlich gelang es: gegen manchen Widerstand nicht nur der Bürokratie, sondern auch seiner konservativen Bauern, die weder dampfprustende Lokomotiven noch eine neumodische Kanalisation wünschten. Vielleicht wären dem Bürgermeister solche zivilisatorischen Unarten verziehen worden, hätte er mit den Landleuten, wo er doch selber Bauernsohn war, regelmäßig im Wirtshaus gehockt, das «Viertele» zu trinken. Das aber lag ihm nicht. So blieb er unter ihnen ein Fremder, und 1930 wählten sie ihn ab.

Die Familie zog nach Ludwigsburg, um schon zwei Jahre später nach Ulm überzusiedeln, jenseits der Alb. In dieser Zeit hatte Robert Scholl, ehe er sich als Wirtschafts- und Steuerberater selbständig machte, mit Treuhand-Angelegenheiten zu tun. Die Not der Weltwirtschaftskrise, die ihm hierdurch um so vertrauter wurde, machte verständlich, warum so viele in ihrer Verzweiflung auf den Führer der NSDAP hofften: der das «System» von Weimar zu überwinden und das wirtschaftliche Massenelend zu beseitigen versprach. Dennoch blieb der Liberale Scholl kühlen Sinnes, als der Machtwechsel kam; mehr: Er lehnte das NS-Regime entschieden ab. Von seiner ältesten Tochter wissen wir, zu welchen Familienspannungen es führte, weil die Kinder seine Sorgen nicht teilten, sondern die neue Zeit freudig erlebten. Das lag hauptsächlich an dem Geschick, mit dem die Hitler-Jugend unter Baldur von Schirach die Ideale der Jugendbewegung für ihre Zwecke nutzte und so der Vorgängerin zunächst verwechselbar glich.

Enthusiasmus und Ernüchterung

Jahrzehntelang schon wurde das Land von der Jugend erwandert und entdeckt, zog sie «Aus grauer Städte Mauern» mit neuromantischer Sehnsucht und Naturliebe hinaus, weg von Geschäftigkeit, Materialismus, Zerstreuungssucht. Die Jugendbewegung war aufgesplittert, einig nur im antizivilisatorischen Protest. Sie suchte eigene Werte und eigenen Lebensstil. Selbsterziehung, Selbstverantwortung, Gemeinschaft, Einfachheit waren tragende Gedanken; Fahrt und Lager, Tracht und Brauchtum mit klangvollen Liedern waren ihr schmückendes Beiwerk. Im Gefühlsklima der Jugendbewegung lag vieles, was sie für den Nationalsozialismus anfällig machte. In den wirklichkeitsflüchtigen Wesenszügen beider bestanden Gemeinsamkeiten. Von der Betonung des Heimatlichen war es nicht weit zu Blut und Boden, von der Vaterlandsliebe nur ein geringer Schritt zur Heiligung der Nation, die Kameradschaft war die

Hitler-Jugend

kleine Schwester der Volksgemeinschaft und das Führerprinzip mündete direkt in den Führerkult.[10]

Inge Scholl erinnert sich an die Faszination, die auf sie und die Geschwister von den marschierenden Kolonnen der Hitler-Jugend ausging «mit ihren wehenden Fahnen, den vorwärtsgerichteten Augen und dem Trommelschlag und Gesang. War das nicht etwas Überwältigendes, diese Gemeinschaft? So war es kein Wunder, daß wir alle, Hans und Sophie und wir anderen, uns in die Hitler-Jugend einreihten... Wir liefen lange und anstrengend, aber es machte uns nichts aus; wir waren zu begeistert, um unsere Müdigkeit einzugestehen. War es nicht großartig, mit jungen Menschen, denen man sonst vielleicht nie nähergekommen wäre, plötzlich etwas Gemeinsames und Verbindendes zu haben? Wir trafen uns zu den Heimabenden, es wurde vorgelesen und gesungen, oder wir machten

Spiele oder Bastelarbeiten. Wir hörten, daß wir für eine große Sache leben sollten. Wir wurden ernst genommen, in einer merkwürdigen Weise ernst genommen, und das gab uns einen besonderen Auftrieb. Wir glaubten, Mitglieder einer großen Organisation zu sein, die alle umfaßte und jeden würdigte, vom Zehnjährigen bis zum Erwachsenen. Wir fühlten uns beteiligt an einem Prozeß, an einer Bewegung, die aus der Masse Volk schuf. Manches, was uns anödete oder einen schalen Geschmack verursachte, würde sich schon geben, so glaubten wir.»[11]

Und weil sie «mit Leib und Seele dabei» waren, verstanden sie zunächst nicht, daß der Vater grollend abseits stand und sich zu Ausrufen verstieg wie: «Glaubt ihnen nicht, sie sind Wölfe und Bärentreiber, und sie mißbrauchen das deutsche Volk schrecklich.»[12] An seinem Vorauswissen und seiner Unversöhnlichkeit prallten auch Gegenargumente ab wie jenes, «daß Hitler ja sein Versprechen gehalten habe, die Arbeitslosigkeit zu beseitigen»[13]. Das bestreite niemand, aber er habe die Kriegsindustrie angekurbelt; es geschehe ja nicht allein mit Hilfe der Friedensindustrie, wofür eine Diktatur alle Mittel hätte; im übrigen sei der Mensch nicht wie das Vieh mit voller Futterkrippe zufrieden. Er brauche zum Leben und Atmen auch die freie Meinung, den ungeschmälerten eigenen Glauben, und diese Grundrechte suche man zu unterdrücken.

Das alles verfing nicht bei den jungen Scholls. Überzeugt, einer großen Idee zu dienen, widerstanden sie solchen Anfechtungen um so leichter, als wir uns die Ideenverbreiter ja nicht einfach als Wölfe im Schafspelz vorzustellen haben. Die jugendlichen HJ-Führer (nach dem Grundsatz, Jugend werde von Jugend geführt) wirkten vielfach überzeugend, weil selber ergriffen. Sogar Baldur von Schirach, bei Machtübernahme Hitlers erst 25 Jahre alt und somit der Jüngste der NS-Größen, vermochte mit seinem Organisationstalent die Verführungskulissen der gewaltigen Aufmärsche, Riesenkundgebungen und des Farbengepränges so umnebelnd nur zu errichten, weil er den verkündeten Idealen hingegeben glaubte und sich vom eigenen Schwung mitreißen ließ. Seine Hymnen, billig in der Substanz, von anderen aber eingängig in Töne gesetzt, liehen der persönlichen Empfindung getreulich Ausdruck:

Wir marschieren für Hitler durch Nacht und Not
mit der Fahne der Jugend für Freiheit und Brot

– wobei der Verlust an Freiheit im überlieferten Sinn gar nicht gesehen wurde, von vielen auch später nicht.

Hitler sah in der Jugend im Grunde nur das nutzbare Material für seine Eroberungspläne, mißbrauchte also die abgöttischen Huldigungen und hinterging die ihm dargebrachte aufrechte Gesinnung. Schirach erkannte rückschauend Mitschuld daran an, und seine Analyse sagt auch etwas zum Verständnis der uns beschäftigenden Zusammenhänge von deutschem Verhängnis und Leid:

«Die deutsche Katastrophe wurde nicht allein durch das bewirkt, was Hitler aus uns gemacht hat, sondern auch durch das, was wir aus ihm gemacht haben. Hitler kam nicht von außen, er war nicht, wie viele ihn heute sehen, die dämonische Bestie, die die Macht an sich riß. Er war der Mann, den das deutsche Volk wollte und den wir selbst durch maßlose Verherrlichung zum Herrn unseres Schicksals gemacht haben. Diese grenzenlose, fast religiöse Verehrung hat in Hitler selbst den Glauben gefestigt, daß er mit der Vorsehung im Bunde sei.»[14]

Wenn hier Erklärungsgründe liegen mögen für seine – teils schon mitgebrachte und sich zunehmend steigernde – Gewißheit, zum Werkzeug der Geschichte und zu ihrem Vollstrecker ausersehen zu sein, was namentlich für die Verbrechen an den Juden vielfältig belegbar ist, dann handelte er auch bei der entschlossenen Abwehr gegen jedwede Rebellion ganz aus dem Bewußtsein der Unersetzbarkeit. Die opferbereiten Gewissen der Widerständler trafen auf eine «gewissensreine» Gegenkraft. Diese Tatsache schwächt nicht den Kontrast von Gut und Böse, gibt ihm im Gegenteil die besondere Schärfe und Kompromißlosigkeit.

Bei den Halbwüchsigen im Hause Scholl, bei Hans vornehmlich, spielten in der damaligen Lebensphase natürliche Absetzbemühungen gegenüber der väterlichen Autorität mit hinein. Was nur wie ein weltanschaulicher Gegensatz aussehen mag, war auch Ablöseprozeß. Um so weniger fanden Robert Scholls Unheilswarnungen Gehör. Allmählich aber gelang es doch: indem die Hitler-Jugend selbst den Boden dafür bereitete.

Da war zum Beispiel Sophies jüdische Mitschülerin Luise Nathan. Sie durfte nicht Mitglied im «Bund Deutscher Mädel» sein, im BDM. Denn es galt, was schon das Parteiprogramm der NSDAP von 1920 verkündet hatte: «Staatsbürger kann nur sein, wer Volksgenosse ist. Volksgenosse kann nur sein, wer deutschen Blutes ist. Kein Jude kann daher Volksgenosse sein.»[15] Auf Grund der rassistischen Fiktion wurde den deutschen Juden Deutschtum abgesprochen, obwohl Hitlers Behauptung von 1919, wonach

Nürnberg, Reichsparteitag 1935: Formationen der Hitler-Jugend
grüßen den «Führer»

«das Judentum unbedingt Rasse und nicht Religionsgenossenschaft» sei[16], sich an keinem anthropologischen Bestimmungsmerkmal erhärten ließ. In der Weise widerlegte auch Fräulein Luise die Hitlersche Irrsicht, so daß Sophie Scholl sich erregte: *Warum darf Luise, die blonde Haare und blaue Augen hat, nicht Mitglied sein, während ich mit meinen dunklen Haaren und dunklen Augen BDM-Mitglied bin?*[17]

Darauf gab es keine überzeugende Antwort. Und weil die Rassenlehre des Dritten Reichs wissenschaftlich und bürokratisch untauglich war, konnten die Nürnberger Gesetze vom September 1935 nur hilflos auf die «Glaubensgenossenschaft» als Nachweis für die Zugehörigkeit zum Judentum zurückgreifen.

Dem Fähnleinführer Hans Scholl blieben Ernüchterungen ebenfalls nicht erspart. Zur geistigen Uniformierung der HJ gehörte auch das einheitliche Liedgut. Etwa Volkslieder fremder Kulturen zur Gitarre zu singen, wie Hans es im Kameradenkreis gern tat, wurde untersagt. Genauso erging es ihm mit «undeutscher» Literatur, beispielsweise mit den «Sternstunden der Menschheit» seines Lieblingsdichters Stefan Zweig. Wußte er denn nicht, daß auch dessen Schriften am 10. Mai 1933 in dem gewaltigen Autodafé aus Papier den Ketzertod geistiger Irrlehren erlitten hatten?

Trotz erster Gläubigkeitseinbußen war Hans stolz, im September 1935, knapp siebzehnjährig, ausgewählt zu sein, die Fahne des Ulmer HJ-Stammes nach Nürnberg tragen zu dürfen, zum Reichsparteitag, der in diesem Jahr den Beinamen «Parteitag der Freiheit» erhielt. Die Juden machte er ganz besonders unfrei.

Nürnberg. Nirgends sonst, nicht einmal in Berlin, verstand es das Regime, die rednerische Willensübertragung durch den Führer und Reichskanzler derart wirksam in Szene zu setzen. Hier wurden die massenatmosphärischen Gefühlskontakte zu einer monumentalen Liturgie der Macht gestaltet: mit disziplinierten Hunderttausendschaften, mit nächtlichen Vereinigungsfeiern unter Lichtdomen, wobei der überhöhte Eine im Scheinwerferzirkel seine Beschwörungsmagien zelebrierte.

Entsprechend die Wirkung. Ein neugieriger, zugleich distanzierter Beobachter, der weltanschaulichen Ansteckung unverdächtig, gibt seine Eindrücke wieder, der einstige französische Botschafter André François-Poncet: «Aber erstaunlich und nicht zu beschreiben war die Atmosphäre der allgemeinen Begeisterung: ein eigenartiger Rausch, von dem Hunderttausende von Männern und Frauen erfaßt wurden, eine romantische Erregung, fast mystische Ekstase, eine Art heiligen Wahns.»[18]

Um so bemerkenswerter, daß ein sichtbar enttäuschter Hans Scholl aus Nürnberg, aus dem «Medina neben dem nationalsozialistischen Mekka München»[19], zurückkehrte. Ins Land der Franken fahren, wie es in einem der HJ-Lieder hieß, wollte er nicht wieder. Erstmals hatte ihn wohl der Massenbetrieb mit seiner schablonenhaften Entpersönlichung abgestoßen. Aus der Ferne grüßte Nietzsche als der Verfechter des aristokratischen Ichseins gegen das grüne Weideglück der Herdentiere, das er ironisch verachtete. Dem Ulmer Freundeskreis war der herrische Philosoph aus Diskussionen wohlvertraut, und seine Lehren begannen anscheinend anzuschlagen. In späteren Briefen verfochten die Geschwister wiederholt ihr Eigensein, das sowohl häusliche Erziehungseinflüsse als auch diese philosophische Vaterschaft verriet. *Wenn ich durch den Rundfunk diese namenlose Begeisterung höre, möchte ich hinausgehen auf eine große einsame Ebene und dort allein sein* (Hans Scholl Mitte März 1938 beim «Anschluß» Österreichs); *Masse. Der Begriff wird mir immer verhaßter* (Ende Juni 1938); *Es ist der Kampf, nicht zurückzusinken in ... Herdenwärme* (Sophie Scholl im November 1940).[20] Auch mußten die immer gleichen tönenden Parolen, die ermüdend eingehämmert wurden, einen wachen Heranwachsenden abstoßen, der, wie Hans Scholl, mit frühreifer Literaturkenntnis gerade geistige Vielstimmigkeit schätzte.

Ein neuerlicher Zusammenstoß mit dem braungefärbten Einebnungsdrang bewirkte den endgültigen Bruch. Als Fähnleinführer, der ungefähr 160 «Pimpfe» zwischen zehn und vierzehn Jahren führte, hatte Hans mit seinen Kameraden eine besondere Fahne genäht, auf die sie stolz waren: mit einem großen Sagentier. Solch Individualismus verstieß natürlich gegen den Erziehungszweck des Gleichgerichteten, Einspurigen, Uniformen, wie es die beiden großen Ideologien unseres Jahrhunderts bis in alle Verästelungen ihrer Organisationen hinein erzwangen. So wurde der zwölfjährige Fahnenträger bei einem Appell aufgefordert, die Flagge abzugeben; man habe sich an die für alle vorgeschriebene zu halten: Das war das in der Hitler-Jugend abgewandelte Hakenkreuztuch mit dem breiten weißen Streifen, der das Rot des Untergrunds zweiteilte.

«Als der höhere Führer den Kleinen zum drittenmal mit drohender Stimme aufforderte, sah Hans, daß die Fahne ein wenig bebte. Da konnte er nicht länger an sich halten. Er trat still aus der Reihe heraus und gab diesem Führer eine Ohrfeige. Von da an war er nicht mehr Fähnleinführer.»[21]

Hans Scholl fand Ersatz in einer bündischen Gruppe, der deutschen jungenschaft, gegründet am 1. November 1929 und daher «d. j. 1. 11.» genannt in der ihr eigenen Kleinschreibung. «Eigentlich» verboten wie alle Bünde ihresgleichen, führten die Jungen der «d. j. 1. 11.» doch unter der Tarnkappe der Mitgliedschaft im «Jungvolk» ein unterirdisches Eigenleben fort. Bei ihren Zusammenkünften sangen und lasen sie all das, was amtlich unerlaubt war, sie eiferten nach verfemter, «entarteter» Kunst, pflegten bestimmte Sprechweisen und unauffällige textile Eigenheiten, und wann immer der polypenartige Zugriff der HJ ihnen Gelegenheit ließ, gingen sie mit ihren Lappenzelten, den Kothen, auf Fahrt. Inge Scholl gibt ein schönes Porträt dieses naturliebenden und kunstsinnigen Völkchens, dessen Erinnerung ihr zumindest aus Begegnungen im Elternhaus geblieben ist, denn es war eine Jungengemeinschaft:

«... Sie stiegen im Winter auf die abgelegensten Almen und machten die verwegensten Skiabfahrten; sie liebten es, in der Morgenfrühe Florett zu fechten ... sie warfen sich am frühen Morgen in eiskalte Flüsse; sie konnten still auf dem Bauch liegen, um Wild und Vögel zu beobachten. Sie saßen genauso still und mit angehaltenem Atem in Konzerten, um die Musik zu entdecken ... Sie gingen auf Zehenspitzen in den Museen umher; sie waren mit dem Münster und seinen verborgensten Schönheiten vertraut. Sie liebten in besonderer Weise die blauen Pferde von Franz Marc, die glühenden Kornfelder und Sonnen von van Gogh und die exotische Welt Gauguins. Aber mit all dem ist eigentlich gar nichts Präzises gesagt. Vielleicht soll man auch nicht viel sagen, weil sie selbst so verschwiegen waren und still hineinwuchsen in das Erwachsensein, in das Leben.»[22]

Das Erwachsenwerden begann mit erster Haft. Im Spätherbst 1937 wurden überall im Reich fortbestehende «bündische Umtriebe» in einer der Nacht-und-Nebel-Aktionen des Regimes mit Festnahmen unterdrückt. Rädelsführer, aber auch andere Verdächtige wurden in Gestapo-Gewahrsam genommen. Im Hause Scholl erschienen die gefürchteten Ledermäntel zu grauer Morgenstunde, durchsuchten die Wohnung und nahmen sämtlichen vorhandenen Nachwuchs mit: Inge, Sophie und Werner. Das Jüngere der Mädchen durfte am Abend wieder nach Hause, die anderen beiden wurden im offenen Lastwagen bei Schneetreiben über die Schwäbische Alb nach Stuttgart transportiert: auf der gerade fertiggestellten Autobahn, einer der «Straßen des Führers». Acht Tage währte die Haft.

Anders verhielt es sich beim Bruder Hans. Als Militärangehöriger – er stand als Rekrut bei einer Kavallerie-Einheit in Bad Cannstatt – konnte er nicht kurzerhand abgeholt werden wie ein Zivilist. Doch besaß das Militär gegen ein Haftbegehren von seiten des Reichssicherheitshauptamtes beziehungsweise der nachgeordneten Instanzen wenig Handhabe. Mitte Dezember 1937 vertauschte Hans Scholl die Revierstube für fünf Wochen mit dem gleichen Zwangsaufenthalt in der Landeshauptstadt wie zuvor die Geschwister. Schon nach deren Verhaftung hatte er an die Eltern geschrieben: ... die Reinheit unserer Gesinnung lassen wir uns von niemandem antasten. Unsere innere Kraft und Stärke ist unsere stärkste Waffe. Das wollte ich früher auch immer meinen Jungen beibringen. Die Fahrten und Heimabende, die wir zusammen erlebten, haben uns ja zu

Robert Scholl
in den dreißiger
Jahren

dieser Stärke verholfen, und wir werden diese Fahrten nie, nie vergessen können. Ja, wir hatten eine wirkliche Jugend! [23]

Nach der eigenen Inhaftnahme schlug die Stimmung zunächst in Niedergeschlagenheit um, auch weil er *dieses Unglück über die Familie gebracht* habe.[24] Aber schon kehrte das Vertrauen in die eigene Kraft zurück, mit dem Bekenntnis: *und diese Kraft verdanke ich zuletzt doch nur Euch*[25]. Stück für Stück, über Jahre hin, war das moralische Rüstzeug, mit dem die Scholl-Kinder zunächst freudig in die Zukunft des Nationalsozialismus marschiert waren, in Rauch aufgegangen. Sie hatten gelernt, andere Werte dagegenzusetzen. Die Familie wurde, dem einzelnen Mitglied zunehmend bewußt werdend, «zu einer kleinen festen Insel in dem … immer fremder werdenden Getriebe»[26]. Das vielleicht unausgesprochene Einvernehmen der letzten Zeit gewann spätestens mit dem Brief aus der Haft, dem Dankbezeugen, die Prägung einer erklärten geistigen Waffenbrüderschaft, in der die weltanschaulichen Gegensätze von früher gänzlich verwischt waren.

In jenen Tagen ließ der Vater, der sich in seinen früheren Warnungen nur bestätigt fühlte, seinem Zorn freien Lauf: «Wenn die meinen Kindern etwas antun, gehe ich nach Berlin und knalle ihn nieder.»[27] Aus leiderfahrenem Abstand weiß Inge Scholl: «Wie wenig man nach Berlin gehen und den, der seinen Kindern etwas antat, abknallen konnte! Wie ohnmächtig man war. Aber er hat es gesagt, und es hat sich mir fest eingeprägt. Einen solchen Satz vergißt man nicht, weil er das Gefühl gibt: Du stehst auf Granit. Du hast jemanden hinter dir. Das ist wichtig in solchen Zeiten.»[28]

Die Entlassung aus der Untersuchungshaft infolge energischer Bemühungen des Rittmeisters und Schwadronchefs Scupin beendete nicht das Verfahren selbst. Gehorsam mahlten die Mühlen der Justiz und verwandelten polizeiliche Verhöraussagen in staatsanwaltliche Anklagen. Doch eine Generalamnestie im Sommer 1938 erledigte die leidige Affäre.

«Sag nicht, es ist fürs Vaterland»

Wer es unternimmt, Lebens- und Entwicklungslinien eines Geschwisterpaares nachzuzeichnen, dessen Geburtsabstand von reichlich zweieinhalb Jahren in der jugendlichen Altersstufe schwer wiegt, gerät biographisch leicht in die Abhängigkeit des Älteren. In dem kurzen, gepreßten Daseinsverlauf seit dem politischen Erwachen spielte Hans Scholl den aktiveren Part, wofür ihm auch vergleichsweise mehr Zeit verliehen war, bei aller Relativität dieses Vorsprungs an Leben. Jedenfalls bleibt Sophie sogar im Gedenkbuch der Inge Scholl im Schatten des Bruders; ganz absichtslos ergibt sich dies so. Andererseits oder gerade deshalb hat ihr Schicksal zwischen den männlichen Hauptpersonen der Weißen Rose schon immer einen besonderen Gefühlswert vermittelt, wobei der oberflächliche Eindruck mitsprechen mag, daß sie als Studentin in München unfreiwillig in die Widerstandsarbeit hineingezogen worden sei, nachdem die anderen darin schon länger tätig gewesen waren und die Brücken zur Umkehr hinter sich verbrannt hatten.

Es mögen solche Überlegungen gewesen sein, welche Hermann Vinke in den siebziger Jahren auf den Gedanken brachten, ein Buch allein über

Sophie Scholl

Sophie Scholl zu schreiben. Wenn es so gewesen sein sollte, dann erkannte er spätestens über der Arbeit selber, daß das Mädchen im männlichen Gruppenbild keine nachgeordnete Erscheinung war. «Wenn sie etwas kennzeichnet, dann die Eigenständigkeit im Denken und Handeln.»[29] Die später erschienenen Briefe und Aufzeichnungen in Inge Jens' Quellenband bestätigen den Eindruck, vollends Otl Aichers «innenseiten des kriegs». Die fünf letzten Jahre ihres Lebens und geistigen Wachstums, von sechzehn bis einundzwanzig, veränderten den munteren Backfisch des Anfangs in erstaunlich raumgreifenden Schritten hin zu einem Menschen, der seiner selbst vollkommen bewußt und in seiner Eigenverantwortung gefestigt war.

Wenn Sophie zwar in die Widerstandsarbeit überrascht und erschrocken hineingeriet, so machte sie sich doch deren Ziele zu eigen, weil schon eine innere Bereitschaft dazu vorhanden war. Das äußere Bild also des jungen Mädchens, das eher Mitopfer als Mittäter gewesen sei, täuscht.

Während Hans Scholl im Anschluß an seine Militärausbildung und an ein medizinisches Praktikum am Tübinger Reservelazarett zum Sommersemester 1939 in München Medizin zu studieren begann, ging Sophie ins letzte Schuljahr. Und während der Bruder großes Interesse an den Naturwissenschaften gewann (*Wenn ich meinen Kameraden erzählen würde, was ich alles belegt habe, würden sie mich für verrückt erklären*[30]), liebte sie noch mehr die l e b e n d e Natur. Aus einem Schulaufsatz der Achtzehnjährigen:

... Um mich herum empfinde ich all das Sprießen; ich freue mich an den Wiesenkerbelstauden, auf denen Wölkchen winziger schwarzer Käferchen wohnen, an den rotgetönten Sauerampfern, an den schlanken Gräsern, die sich leise nach Osten neigen. Wenn ich meinen Kopf wende, berührt er den rauhen Stamm eines Apfelbaumes neben mir. Wie beschützend er seine guten Äste über mir ausbreitet! Spüre ich nicht, wie unaufhörlich Säfte aus seinen Wurzeln steigen, um auch das kleinste Blättchen sorgend zu erhalten? Höre ich vielleicht einen geheimen Pulsschlag? Ich drücke mein Gesicht an seine dunkle, warme Rinde und denke: Heimat, und bin so unsäglich dankbar in diesem Augenblick.[31]

Die «schwärmerische Liebeserklärung an die Natur»[32] könnte auf ein Gemüt von versponnener Innerlichkeit schließen lassen, mit geringen Beziehungen zum Außengeschehen. Doch dieselbe Achtzehnjährige schreibt in diesem Jahr 1939 kurz nach Kriegsbeginn an ihren Freund Fritz Hartnagel, Leutnant in der aktiven Offizierslaufbahn, sehr entschiedene Zeilen mit ausgesprochen ironischem Beiklang: *Nun werdet ihr ja genug zu tun haben. Ich kann es nicht begreifen, daß nun dauernd Menschen in Lebensgefahr gebracht werden von anderen Menschen. Sag nicht, es ist fürs Vaterland.*[33] Zwei Wochen später bekam der Empfänger

Selbstporträt
der Sophie Scholl,
um 1937/38

noch die Bemerkung nachgereicht: *Der Hoffnung, daß der Krieg bald beendet sein könnte, geben wir uns nicht hin. Obwohl man hier der kindlichen Meinung ist, Deutschland würde England durch Blockade zum Ende zwingen.*[34] Der kindlichen Meinung: Man müßte einmal die zeitgleichen Gedanken und Selbsttäuschungen der deutschen Generalität samt ihres obersten Kriegsherrn danebenstellen. Diese würde recht beschämt aus dem Vergleich mit den Einsichten einer Ulmer Schülerin hervorgehen.

Äußerungen wie die hier wiedergegebenen mußten den Freund in der Leutnantsuniform in Zwiespalt bringen. Dabei war er keiner von den «Anderen», wie Peter Bamm in der «Unsichtbaren Flagge» die Parteigläubigen und Regimeanhänger in der Armee zu nennen pflegt. Hartnagel kam aus der verbotenen Jugendbewegung und erkannte im Offizierskorps eine weltanschauliche Nische, in der die Partei zu ihrem Mißbehagen wenig Fuß fassen konnte. Patriotismus aber und Gehorsam ließen das Heer trotzdem zum gefügigen Werkzeug der Hitlerschen Eroberungspläne werden. Die Freundin ließ den Unterschied zwischen System und Vaterland nicht gelten. *Und es wäre doch schöner, die Menschen könnten sich bei einem Kampfe auf die Seite stellen, die sie für die gerechtfertigte halten. Ich hielt es immer für falsch, wenn ein Vater ganz auf seiten seines Kindes stand, etwa, wenn der Lehrer das Kind gestraft hatte. Selbst wenn er es noch so liebte. Oder gerade deshalb. Ebenso unrichtig finde ich es, wenn ein Deutscher oder Franzose, oder was er sein mag, sein Volk stur verteidigt, nur weil es sein Volk ist.*[35]

In ihrem konsequenten Denken ging sie soweit, auch die persönlichen Beziehungen, jedenfalls auf weite Sicht hin, von weltanschaulichem Einvernehmen abhängig zu machen. So sehr sie *unbewußt immer noch etwas Rücksicht* nahm auf seinen, des Freundes, Soldatenberuf, konnte sie es sich doch *nicht vorstellen, daß man etwa zusammenleben kann, wenn man in solchen Fragen verschiedener Ansicht ist.*[36]

Als Sophie 1940 diese Zeilen schrieb, hatte sie als vorletztes der Scholl-Kinder das Abitur hinter sich gebracht und wurde im Ulmer Fröbel-Seminar zur Kindergärtnerin ausgebildet. Sie zielte im Grunde auf ein Studium hauptsächlich der Biologie, während die andere Hauptbegabung, das Zeichnen, Liebhaberei bleiben sollte (*Kunst kann man doch nicht lernen*[37]). Da nun aber jedem Studium der halbjährige Arbeitsdienst vorausgehen mußte, hatte sie die Berufslehre als Ausweg entdeckt, dem leidigen Lagerbetrieb zu entgehen. Nutzlosem Zwang zog sie zwanglosen Nutzen vor, auch wenn diese Ausbildung für sie keine erkennbare berufliche Zukunft eröffnete. Und doch führte sie der verlängerte, einjährige Umweg direkt ins Arbeitsdienstlager, weil das Fröbel-Seminar entgegen anfänglichen Auskünften nicht als Ersatzdienst anerkannt wurde.

Der Frühsommer 1940, für Sophie die Anfangsphase ihres praktischen Lernens, brachte dem älteren Bruder ein Praktikum ganz anderer Art. Er nahm als Meldefahrer am Vormarsch im Westen teil und fand Gelegenheit, seine guten französischen Sprachkenntnisse von der Schule im vielgesuchten Gespräch mit der einheimischen Bevölkerung rasch zu erweitern. *Ich bin Dolmetscher für die ganze Einheit*[38], berichtete ein Brief nach Hause. Bald schon ging die Vormarschphase in geruhsam-langweiliges Etappenleben über, und im Juli, zwei Wochen nach dem Waffenstillstand, wurde der angehende Mediziner an ein Feldlazarett mit 400 Verwundeten abkommandiert; anscheinend nicht weit von Paris, denn er schrieb, dort sei er schon mehrmals gewesen.

War er sich über die Tragweite dieser Äußerung klar? Vermutlich nicht, auch wenn Feldpostbriefe nicht gerade Springbrunnen politischer Redseligkeit sind. Mehrmals in Paris gewesen: 1914 hatten die Soldaten der Vätergeneration von ferne den Eiffelturm erblickt und dennoch in vierjähriger berserkerhafter Anstrengung Frankreich nicht bezwungen; jetzt war es dem Gefreiten Hitler in sechs Wochen geglückt. Das schiere

Hans Scholl

Wunder erschütterte selbst hartnäckige Widersacher und stürzte sie in Irritation. Mit quälender Selbstbeherrschung notierte der ehemalige Botschafter in Rom, Ulrich von Hassell: «Man könnte verzweifeln unter der Last der Tragik, sich an den größten nationalen Erfolgen nicht wahrhaft freuen zu können.»[39]

Der stud. med. im Lazarettdienst, als Angehöriger der nächsten Generation frei von den traumatischen Rückständen der Niederlage von 1918 und der Demütigung in Versailles, war daher nach dem Sieg im Westen nicht dem seelischen Widerstreit ausgesetzt wie ältere Gegner des Regimes. Er brauchte nicht im Zickzack zu denken, das Vaterland gegen den Verführer abzugrenzen, weil er auch über die Stufe des äußerlichen Patriotismus schon mindestens seit 1938, seit seiner Soldatenausbildung, hinausgewachsen war. *Erst wenn man sich fragen muß, ob das Vaterland überhaupt noch die Bedeutung hat, wie es vielleicht einmal war; wenn man allen Glauben an Fahnen und Reden verloren hat, weil die Begriffe abgegriffen und wertlos geworden sind, dann erst setzt sich das reine Ideal durch.*[40]

Während der angehende Mediziner nach ersten harten Lern- und Erfahrungsproben seines Berufs an die Universität München zurückkehrte, wo er im Januar 1941 das Physikum bestand, beendete Sophie zur gleichen Zeit ihre Ausbildung und verließ das Ulmer Fröbel-Seminar im März 1941 als examinierte Kindergärtnerin. Die knapp Zwanzigjährige hatte auch bis dahin dem weiblichen Zweig der Hitler-Jugend angehört, sogar in mittlerer Führungsposition.

Der Namensgeber dieser Jugend in Einheitstracht war im Grunde auf die «völkische Erziehung» nur des männlichen Nachwuchses bedacht. In der programmatischen Schrift «Mein Kampf» von 1925 und 1927 widmete er diesen Gedanken breiten Raum. Den Mädchen wird dabei nur geringe Aufmerksamkeit zuteil: «Analog der Erziehung des Knaben kann der völkische Staat auch die Erziehung des Mädchens von den gleichen Gesichtspunkten aus leiten. Auch dort ist das Hauptgewicht vor allem auf die körperliche Ausbildung zu legen, erst dann auf die Förderung der seelischen und zuletzt der geistigen Werte. Das Z i e l der weiblichen Erziehung hat unverrückbar die kommende Mutter zu sein.»[41]

Mädchen in BDM-Uniform

In solchem Rollenbild bedeuteten BDM und «Jungmädel» nur halb-
herzige Nachahmungen der HJ und des Jungvolks. Die Gliederungen der
männlichen Hitler-Jugend kehrten dennoch spiegelbildlich wieder, mit
unterschiedlicher Nomenklatur. Über Sophies Mittun gibt es kaum Bele-
ge. Durch ihre Schwester Inge wissen wir immerhin, daß die stürmische
Aufbruchphase von 1933/34 das zweitjüngste Geschwisterkind, schon des
Jahrgangs wegen, nicht so mitgerissen hatte wie die Älteren. «So fröhlich
sie bei dem Jungmädelbetrieb mitgemacht hat, beim Zelten, Wandern
und den Geländespielen, so beeindruckend die feierlichen Sprüche und
Lieder beim Feuer- oder Fackelschein gewesen sein mochten, sie konnten

Sophie nie ganz vereinnahmen.»[42] Umgekehrt gilt, daß der geringere Enthusiasmus entsprechend weniger funkensprühend endete, sondern daß man sich, bei äußerlichem Fortgang, ein langsames Versiegen und Verlöschen der inneren Anteilnahme vorzustellen hat. Dafür sorgten das Familienklima und der Freundesumgang. Wer schon als Abiturientin derart entschiedene und «unpatriotische» Meinungen in Briefen bekennt, konnte nichts anderes als routinemäßigen Dienstbetrieb leisten, immer mit dem Hang zum Anderssein.

Ein solches Wegstreben von der Norm, von scheuklappenartiger Ausrichtung war es auch, welches Sophies BDM-Zeit beendete. Sie führte eine «Mädelgruppe», und wie im Wiederholungszwang geschah dies: Nachdem mehrere Gruppen sich ihre Fahnen mit eigenen Symbolen geschmückt hatten, wurden die Gruppenführerinnen dieser Einheiten zusammengerufen und ihres Amtes enthoben.

Die Suspension erhielt den Rahmen eines betont moderaten, geradezu feierlichen Zeremoniells, das sich vom ehrenrührigen Zweck der Handlung merkwürdig kontrapunktisch abhob. So schildert die Fröbel-Seminaristin Susanne Hirzel den Vorgang. Gleichen Ranges wie Sophie in der Staatsjugend, später im zweiten Prozeß gegen die Weiße Rose mitverurteilt, kam sie aber mit dem Leben davon. «Man sang das Lied: Wo wir stehen, steht die Treue.»[43] Nun, wo diese beiden Mädchen standen, da war die hier gemeinte Treue nicht ganz so gefestigt. Jedenfalls, die grün-weiße Kordel als ihr Rangzeichen in der Hierarchie waren sie los. Im übrigen ging das Bemühen der Vorgesetzten dahin, «uns die Zukunft nicht zu verbauen»[44].

Seit die Mitgliedschaft in der HJ und im BDM Pflicht geworden, 1939, waren solche Erwägungen begründet. Dabeisein oder Nichtdabeisein und seine Schattierungen förderten oder minderten den Wert der allerorten verlangten Lebensläufe. Um das Qualitätsmerkmal Hitler-Jugend als unvereinbar mit dem eigenen Werdegang zurückzuweisen, mußte man schon ganz kompromißlos denken ohne Rücksicht auf die Folgen. Derart bedingungslos verfuhr der Ulmer Schüler Otl Aicher, der mit Werner Scholl zusammen in dieselbe Klasse ging. «Wir waren Freunde geworden, weil ich mich hartnäckig weigerte, in die Hitlerjugend einzutreten. Man ließ mich deshalb weder zum Abitur noch zum Studium zu.»[45]

Als Werner Scholl erfuhr, daß dem Freund die Abitur-Prüfung verweigert wurde, ging er zum Direktor und erklärte, daß er der HJ nicht mehr angehören wolle. Die Schulleitung gab diesen Austrittsbeschluß nicht weiter, so daß Werner nominell in der Hitler-Jugend blieb und folglich auch zum Abitur zugelassen wurde. Seinen Widerwillen zeigte er daraufhin in anderer Weise, wobei er ihn vorsichtshalber in nächtliches Dunkel hüllte. Eines Morgens fanden die Ulmer ihre Justitia vor dem Gerichtsge-

Otl Aicher, um 1940

bäude verändert vor: mit einer Hakenkreuzbinde vor den Augen. Unweigerlich drängt sich dabei die Erinnerung an Heinrich Spoerls «Maulkorb» auf. Da Serenissmus dem Volk das Maul verbieten wollte, bekam sein steinernes Antlitz selbst nächtlicherweise die lederne Sperre aufgestülpt; und da bei der «Rechtspflege» im Dritten Reich das Recht auf der

Strecke blieb, strafte ein Schelm die allegorische Figur mit dem Wahrzeichen des Unrechts. Der Unterschied nur: Im zweiten Fall hätte es bei Tatenthüllung keine Justizposse als Nachspiel gegeben, sondern Ernsteres.

Die Freundschaft mit Otl Aicher bereicherte die jungen Scholls, weil er, obwohl mit der Jüngste unter ihnen, durch leidenschaftliche Suche nach Denkgrundlagen wichtige Anstöße gab, solche, die ihren schon selber erkundeten Geistesraum weiter öffneten. Seine erst 1985 gelieferten Erinnerungen an jene Zeit vervollständigen das Panorama um die intellektuelle Dimension, jedenfalls «aus erster Hand». Was unter den veröffentlichten Primärquellen die Briefe und Aufzeichnungen nur streifen; was Inge Scholls Gedenkbuch gar nicht leisten wollte, weil dies seine Wärme und Unmittelbarkeit gemindert hätte – das reicht Otl Aicher nach: nämlich das gründliche Ausmessen der geisteswissenschaftlichen Erkenntnismöglichkeiten in den damaligen tage- und nächtelangen Gesprächen und Leseabenteuern. Forschermühen, vor Erscheinen dieser Publikation, mußten aus vielerlei Wissensherkunft mosaikartig zusammensetzen, was man hier streckenweise wie «aus einem Guß» bekommt. Viele der Nährstoffe werden ausgebreitet, die danach die Weiße Rose aufblühen ließen.

Wohl rührte das Aufbegehren mit Flugblättern zunächst einfach aus empörtem Rechtssinn, doch wurde es unterstützt vom abendländischen Geistesgut aus 3000 Jahren. Wenn altdeutsches Rechtsbewußtsein im Mittelalter, auch noch dasjenige des frühneuzeitlichen Reichsritters Götz von Berlichingen, einer Rechtsverletzung mit legaler Fehdeansage entgegengetreten war, dann hatte dafür das subjektive Überzeugtsein vom gewohnheitlichen «guten alten Recht» genügt. Die Moderne hat es schwerer, nicht nur wegen des staatlichen Gewaltmonopols, nicht nur wegen Luthers Obrigkeitsgebots, nicht nur wegen Hegels Staatsvergötzung, sondern auch infolge von Traditionsverlusten. Sie müssen durch Wertevielfalt ausgeglichen werden. Die klaren, einfachen Richtwerte unserer Altvorderen angesichts eines «ungetreuen Lehnsherrn» waren zwar beim adligen deutschen Widerstand mit seinem noch lebendigeren Traditionsbewußtsein untergründig in Kraft; aber eine opponierende Elite in ausgesprochen akademischem Umfeld stützte ihren Widerstand eher mit kosmopolitischen geistigen Hilfsgütern ab. So zog sie in den Kampf, so stritt sie gegen die Unterdrücker mit der unausgesprochenen Losung von Schillers Räubern: in tirannos.

Inge Scholl: «Otl war einer der Freunde, der uns solche Bücher in die Hand gegeben hatte wie: Sokrates' Verteidigungsrede, die ‹Bekenntnisse› des Augustinus, Pascals ‹Pensées›, Theodor Haecker ‹Was ist der Mensch?› und französische Philosophen und Schriftsteller wie Maritain, Bernanos und Bloy... Werner begann damals, sich in seinem etwas abgelegenen Zimmer eine kleine Bibliothek der Weltreligionen aufzubauen. Schon während der ‹d. j. 1. 11.›-Zeit war er auf Laotse gestoßen. Jetzt kam Buddha hinzu, Konfuzius, Schriften des Sanskrit, der Koran, dann die griechischen Philosophen. Durch seinen Freund Otl Aicher entdeckte er die Zeugnisse des Urchristentums und die großen christlichen Denker. Somit war Werner der erste von uns, der sich intensiv mit dem Christentum beschäftigte.»[46]

Besonders Augustinus wurde ein familiärer Begleiter. Hans Scholl leitete sogar einen Geburtstagsbrief an die Mutter damit ein: *Die Worte des leidenschaftlichen Gottsuchers sagen Dir mehr an Deinem Geburtstage als meine eigenen. Deshalb will ich sie ganz an die Spitze stellen, weil ich weiß, daß niemand ihnen näher ist als Du. So groß sind die Wirrnisse heute, daß man oft nicht weiß, wohin man sich wenden soll ob der Vielheit der Dinge und Ereignisse; da stehen solche elementaren Worte wie Leuchtfeuer im bewegten Meer.*[47] Welche er gewählt hatte, sei nicht mehr auszumachen, stellt die Herausgeberin hierzu fest. Vielleicht waren sie wie ein Motto dem Brief – aufgeheftet – vorangestellt.

Sophie, im Lager des «Reichsarbeitsdienstes» (RAD) in Krauchenwies bei Sigmaringen, fand bei dem Kirchenvater gleichfalls Trost inmitten des für sie geisttötenden Gemeinschaftslebens: *Abends, wenn die anderen Witze machen, lese ich Augustinus... Ich lese doch noch über vieles hinweg, oder ich nehme es auf, um es gleich wieder zu vergessen; aber man-*

Sophie Scholl (unten rechts) feiert ihren 20. Geburtstag im RAD-Lager in Krauchenwies, Mai 1941

ches ist mir wie eine Antwort, und ich freue mich unsäglich darüber.[48] Ein Foto aus diesen Monaten spricht für sich: Im Gruppenbild pyjamabekleideter «Arbeitsmaiden» in allerlei scherzhaften Posen hebt sich eine ersichtlich freudlose Sophie Scholl von der allgemeinen Lustigkeit ab, distanziert und eingekehrt. Die RAD-Führerin redete jede einzelne nur als «Arbeitsmaid» an, namenlos, als Gruppenglied. *Manchmal möchte ich sie anschreien: Ich heiße Sophie Scholl, merken Sie sich das!*[49]

Noch vor dem Ende des Arbeitsdienst-Halbjahrs, bei zeitweiliger Mithilfe in der Landwirtschaft (...*die Arbeit beim Bauern, die erdnahe, so mühsam sie ist, erfüllt mich abends mit einem wohligen Müdesein*[50]), widerfuhr ihr *die neueste Schreckensbotschaft: wir müssen noch ein halbes Jahr Kriegsdienstpflicht ableisten*[51], so daß das ersehnte Studium sich neuerlich am Horizont verflüchtigte. Während dieses abermaligen Pflichtaufenthalts auf dem Weg nach München – Kindergartenarbeit in Blumberg bei Donaueschingen – nutzte sie ein Oktober-Wochenende in diesem dritten Kriegsjahr 1941, um sich im Vogesenstädtchen Münster mit dem Soldaten Otl Aicher zu treffen. Der hatte von Epinal her, wo seine Einheit stand, mit dem Fahrrad den Gebirgskamm überquert.

Der Bericht über die Begegnung ist eher eine Tour d'horizon durch die abendländische Theologie und Philosophie. Vielleicht waren die originalen Gespräche noch nicht so gedanklich gereinigt, wie sie 44 Jahre danach gedruckt nachzulesen sind, doch heben sie sich ohnedies von dem Eindruck ab, den das Paar damals im Gasthof irrtümlich vermittelte: daß hier zwei Hochzeiter ein flüchtig beseligtes Wochenende verlebten. Als die Wirtsleute vorsichtig andeuteten, wie vorgerückt die Stunde sei, räumten die beiden ihre Plaudereckbank in der Gaststube und zogen sich in das offerierte Doppelzimmer zurück, setzten sich ins Bett, nahmen die Gedichte vor (von einem Freund in Frankreich), um sie laut zu lesen, die Meinungen darüber auszutauschen und sie für sich aufzuschreiben. «Wir alle schrieben damals, irgend etwas, und es war selbstverständlich, uns darüber zu verständigen...»[52]

Für diese nächtliche Atmosphäre, in welcher die Ermüdeten gegen drei Uhr morgens sich in kalter Stube schließlich unter die Decken kuschelten, findet Otl Aicher bemerkenswerte Worte, die nicht nur für die hier geschilderte Szene Geltung beanspruchten. Liebe, schreibt er, habe in der sokratischen Luft nur in einer bestimmten Form gedeihen können: als eine Kultur, sich nicht zu nahe zu kommen, um den anderen nicht zu vereinnahmen, womit man ihn ja gewöhnlich gegenüber Dritten absperre. Sexualität könne einen Menschen binden zu Lasten seiner vollen Freiheit. Sie aber wollten sich mit dem Vergnügen daran, in den kalten Wassern der Logik zu baden, von der Natur nicht überlisten lassen. «Wir erfuhren die Kraft der Erotik wie jeder andere auch, aber ihre Richtung... mündete in eine intellektuelle Anstrengung und in ein moralisches Training, es mit dem ganzen Staat aufzunehmen, und dazu war ein Gedicht manchmal wichtiger als eine Berührung.»[53]

Wie gesagt: Herbst 1941. Der Rußland-Feldzug geriet in seine erste kritische Phase. Erinnern wir uns: Ein letztes Mal war die deutsche Kriegsmaschine im Sommer jenes Jahres niederwalzend über eine feindliche Waffenmacht hereingebrochen. Die zertrümmernde Wucht des Angriffs übertraf alles bisherige, sogar die triumphale «Sichelschnitt»-Offensive im Westen. Es war der militärische Vollzug einer früh geäußerten, vierzehn Jahre alten Willenserklärung des jetzigen Obersten Befehlshabers der Wehrmacht: «Wir setzen dort an, wo man vor sechs Jahrhunderten endete. Wir stoppen den ewigen Germanenzug nach dem Süden und Westen Europas und weisen den Blick nach dem Land im Osten.»[54]

Ein Volk, angeblich ohne Raum, drang vor in einen Raum, angeblich ohne Volk, und wurde in der Tat von den unermeßlichen Weiten verschluckt. In einer Selbstüberhebung vom Format griechischer Mythologie verzichtete man auf rechtzeitige Wintervorsorge, weil der Feind ja bis dahin geschlagen sein sollte, und geriet so in die Winterkatastrophe des Spätjahrs 1941 vor Moskau. Bei fast 40 Grad Kälte sprangen die Panzermotoren nicht mehr an, das Öl erstarrte im Getriebe, Frostschutzmittel versagten; faßte man Stahl an, blieb die Haut hängen, das Brot wurde mit der Axt geschnitten, Verbandspäckchen glichen Holzblöcken, die Zahl der Erfrierungen übertraf diejenige der Verwundungen, Tausende Pferde verendeten, Leutnants führten mittlerweile Bataillone wegen der enormen Ausfälle an höheren Offizieren, Partisanen blockierten den Nachschub – kurz, die Truppe litt unbeschreiblich, dabei immerfort angegriffen von überlegenen Kräften.

Während dieser «napoleonischen» Heimsuchungen im tiefen Osten ergeht Hitlers Aufruf an das deutsche Volk, Wintersachen zu spenden. «Wenn nun das deutsche Volk seinen Soldaten anläßlich des Weihnachtsfestes ein Geschenk geben will, dann soll es auf all das verzichten, was an wärmsten Kleidungsstücken vorhanden ist und während des Krieges entbehrt werden kann, später aber im Frieden jederzeit ohnehin wieder zu ersetzen ist.»[55]

Warum diese Ausführungen? Weil sie an einem prägnanten Punkt die unbeirrbare Denkweise Sophie Scholls verdeutlichen. Fritz Hartnagel kam damals von der russischen Front, um in Weimar eine neue Kompanie aufzustellen. Als seine Freundin sich ablehnend zu dem Aufruf stellte – *Wir geben nichts*[56] –, führte er ihr vor Augen, was eine solche Haltung für die Soldaten draußen bedeute. Sie blieb jedoch unzugänglich und erklärte: *Ob jetzt deutsche Soldaten erfrieren oder russische, das bleibt sich*

Deutsche Soldaten im russischen Winter, 1941/42

gleich und ist gleichermaßen schlimm. Aber wir müssen den Krieg verlieren. Wenn wir jetzt Wollsachen spenden, tragen wir dazu bei, den Krieg zu verlängern.[57]

Verständlich, daß der Freund sich «schockiert» zeigte. «Wir diskutierten heftig. Mehr und mehr mußte ich jedoch einsehen, daß ihre Haltung nur konsequent war. Man konnte nur entweder für Hitler oder gegen ihn sein. War man gegen Hitler, dann durfte er diesen Krieg nicht gewinnen, denn nur eine militärische Niederlage konnte ihn beseitigen.»[58]

Das Gespräch berührte einen zentralen Punkt vieler vergleichbarer Diskussionen in der Diktatur: daß ein solcher Boykott zunächst vor allem den mitleidenden, unfreiwilligen Teilhaber des Unrechts traf, in unserem Fall den Landser in den trostlosen Schneelöchern der Ostfront – abgesehen davon, daß die Sammelaktion für einen Nutzen noch im gegenwärtigen Winter viel zu spät in Gang kam. Sophie in ihrer Unerbittlichkeit, verstieß sie nicht selbst gegen ihr geschätztes, im Freundeskreis vielzitiertes Wort Jacques Maritains vom «harten Geist und weichen Herz» (Il faut avoir un esprit dur et le cœur tendre[59])? Vielleicht hätte sie

erwidert, daß der Aufruf ja nur den esprit dur des Eroberers verteidige und für ihn um Beistand ersuche und daß ein solcher frevelhafter Imperialismus daher allein mit gleichermaßen kompromißlosem esprit dur beantwortet werden dürfe. Wenn dies unbarmherzig wirkte und wirkt, dann stand es jedenfalls im Einklang mit Sophies Beharren auf der Einheit von Denken und Tun. «Sie ... sah in der Art, wie eine solche Übereinstimmung zustande gebracht wurde, den Grad der Entfaltung einer Persönlichkeit»[60] – und sie bürgte am Ende mit ihrem Lebenseinsatz für diese Überzeugung.

Wenn die Weiße Rose eine solche Einheit von Gedanke und Tat darstellte, dann lebte Sophie Scholl deren Geist schon vor, noch ehe dieses Symbol eines Widerstands in Umlauf kam. Die geistigen Fäden und Gespinste der Untergrundarbeit begannen schon zu Mustern sich zu ordnen, als Sophie Anfang Mai 1942, wenige Tage vor ihrem 21. Geburtstag, nach endlosen Verzögerungen nach München aufbrach. *Ich kann's kaum erwarten, daß ich morgen mit dem Studium anfangen darf*, sagte sie am Vorabend der Abreise zu ihrer Mutter.[61] «Ich sehe sie noch vor mir, meine Schwester, wie sie am nächsten Morgen dastand, reisefertig und voll Erwartung. Eine gelbe Margerite aus Mutters Garten steckte an ihrer Schläfe, und es sah schön aus, wie ihr so die dunkelbraunen Haare glatt und glänzend auf die Schultern fielen. Aus ihren großen, dunklen Augen sah sie sich die Welt an, prüfend und mit einer lebhaften Teilnahme. Ihr Gesicht war noch sehr kindlich und zart. Ein wenig von der schnuppernden Neugier eines jungen Tieres war darin und ein großer Ernst.»[62]

In München holte der Bruder sie ab. *Heute abend wirst du meine Freunde kennenlernern*, sagte Hans.[63]

Freunde und Mentoren

In allen Auflagen von Inge Scholls «Weißer Rose» seit den fünfziger Jahren und in anderen Schriften zum Widerstand der Münchner Studenten ist das fröhliche Profil des Mittzwanzigers mit dem ausgeprägten Hinterkopf und der Pfeife im Mund zu sehen. Der dazu gelieferte, auf die knappste biographische Formel verkürzte Lebensrahmen: «Alexander Schmorell, geboren 16. September 1917, Student der Medizin, hingerichtet am 13. Juli 1943». Unbekümmertheit ist der äußere Eindruck, und Charakterskizzen kennzeichnen ihn auch gern mit dieser Eigenschaft. Dazu paßt die Bemerkung, daß er und Hans Scholl «das sture Kasernendasein mit unzähligen witzigen Einfällen und Streichen auf den Kopf stellten»[64]. Nun, Kasernen in aller Welt sind ihrer Natur nach humorlos und lassen daher normalerweise so nicht mit sich umgehen. Aber richtig ist sicher, daß die beiden Unangepaßten jede Gelegenheit nutzten, mit geringstmöglichem Risiko Vorschriften auf ihre Belastbarkeit hin zu prüfen, hart vorbei an disziplinarischer Übelnehmerei ihre Ungezwungenheit verteidigten und menschliche Selbsterhaltung übten. Alexander scherzte gegenüber dem Freund Jürgen Wittenstein, vielleicht werde eines Tages an der Tür der Revierstube ein Schild hängen mit der Inschrift: *Hier hat die Revolution begonnen.*[65]

Unter Alexanders ungekünstelte Frohnatur mischten sich schwerere Wesensanteile. Ob man sie auf sein frühes Verlusterlebnis zurückzuführen habe, ist nicht zu entscheiden. Geboren in Orenburg am südlichen Ural als Sohn eines deutschen Arztes ostpreußischer Herkunft und einer Russin, verlor er als kleines Kind die Mutter an Typhus. Der Vater heiratete noch in Rußland neu, eine Tochter aus «reichsdeutscher» Familie, und siedelte mit ihr, Alexander und der russischen Kinderfrau nach München über, wo er als Arzt zu Ansehen gelangte. Die gutherzige «Njanja» aus einem russischen Dorf wurde zur engen Bezugsperson. Für sie war «Schurik» lebendige Heimat; ihn lehrte sie die Sprache der Mutter als Muttersprache und die Lieder mit den dunklen Akkorden und beeinflußte ihn im russisch-orthodoxen Glauben. Doch unabhängig vom Einfluß der Kinderfrau blieb Russisch die Umgangssprache in der Familie, so daß die Halbgeschwister aus erster und zweiter Ehe des Dr. Schmorell von vornherein zweisprachig aufwuchsen. Alexander las russische Dichter eher als deutsche. «Er wurde bis zur Schwermut von einer beständigen Sehnsucht nach Rußland verzehrt, seinem Heimatland, das wiederzusehen er sich täglich erträumte, und nach seiner jungen, lieblichen Mutter, die er niemals gesehen hatte»[66], so Angelika Probst, die Schwester des Münchner Schulfreundes Christoph Probst.

Nicht nur wegen dieser Gemütsbande lehnte Alexander den Nazistaat mit seinem nationalistischen Wahn und militanten Rassismus heftig ab; seinem Freiheitsgefühl widerstrebte überdies jede organisatorische Einbindung. Unter dem Zwang des Eides auf den «Führer und Obersten Befehlshaber der Deutschen Wehrmacht» erlitt er eine seelische Krise. Ein

Alexander
Schmorell

Stück «Vagabundennatur» steckte in ihm, derselben Auskunftsquelle nach: «Er liebte es, einsam zu wandern, ziellos umherzustreifen, irgendwo unterzutauchen und Bekanntschaft zu schließen mit seltsamen Geschöpfen dieser Erde. Er hatte Neigung und Blick für Abenteuer, Landstreicher, heruntergekommene Artisten, Zigeuner und Bettler aller Art...»[67]

Wenn für die jungen Scholls bei allem künstlerischen Interesse und, soweit es Sophie betrifft, auch bildlichem Gestaltungstalent doch wohl die kognitive Aneignung der Welt, die Geodäsie abendländischen Geistes vorherrschte: lesend, diskutierend, erkundend, in schreibender

41

Selbstverständigung – dann schien Alex eher von innen heraus der Künstler zu sein. Medizin studierte er dem Vater zuliebe, brachte hingegen vielversprechende Anlagen mit für die Bildhauerei. Als Naturtalent spielte er gut Klavier und gehörte zu den Stammhörern in den Münchner Konzertsälen. Deren Anziehungskraft wird freilich auch durch Hans Scholl bezeugt: *Heute war der Abschluß der Mozart-Festwoche mit einem großen Orchesterkonzert in der Tonhalle. Solche Kunst haben wir so nötig wie das tägliche Brot. Unbedingt! Was wäre das Leben ohne sie. Ja, und in der nächsten Woche wird Bach gefeiert. Die 6 Brandenburgischen* (Mai 1941).[68]

Der medizinische Werdegang aus Pflicht statt aus Neigung war es aber, der Alexander Schmorell mit Hans Scholl zusammenführte. Die Konzertpausen in den Wandelgängen, zwischen Suiten und Sonaten, hätten vielleicht nicht mehr als flüchtige Blickkontakte erbracht; so aber liefen ihre Wege direkter zusammen. Alex hatte nach dem Abitur in München 1936 und anschließendem Arbeitsdienst die unvermeidliche Militärausbildung dort gesucht, wo er seiner Lust zu reiten einige Befriedigung verschaffen konnte, bei der bespannten Artillerie. Nach einem anschließenden ersten Studienjahr in Hamburg 1939/40 machte er wie der spätere Freund den Frankreich-Feldzug mit und kehrte dann wie jener an die Universität zurück, wobei er nach München wechselte.

Beider Wege kreuzten sich nun: im Hörsaal und in der Kaserne, wobei ihnen der etwas gelockerte Zwang einer Sanitätskompanie, zu der sie hier gehörten, auch Privatquartiere gestattete. Hans Scholl wohnte auf wechselnden «Buden», ausgeliefert allen Geschmackszufällen und -drangsalen eines Untermieterdaseins. Im April 1941 klagte er in einem Brief, daß *noch mancher Unrat, Vasen, Bronzebüsten, Reliefs und afrikanische Siegestrophäen brutal der Wirtin vor die Türe gesetzt werden müssen*[69]. Alexander hatte wenigstens sein Elternhaus in Harlaching als Rückzugsstätte.

Mit den geschärften Sinnen, mit denen Individualisten sich unter der feldgrauen textilen Einheitsfassade erkennen und ausfindig machen, waren Hans Scholl und Alexander Schmorell aufeinandergestoßen. Naheliegend, daß Alex, als die Beziehung sich gefestigt hatte, den Freund nach Hause einlud. Dr. med. Hugo Schmorell führte ein offenes, geselliges Haus, aber die Filter mißtrauischer Wachsamkeit trennten zuvor Weizen und Spreu. In dieser rückhaltlosen Gesprächsverständigung wollte man keine unzuverlässigen Zuhörer haben. Als «Schurik» seinen Vater überzeugt hatte, daß Hans Scholl «sauber» sei, bekam er Zutritt – und hier traf er Anfang 1941 Christoph Probst.

Für Alexander war «Christl» der Längervertraute; waren sie doch schon zeitweilig zusammen Schüler gewesen. Den Lebenshintergrund

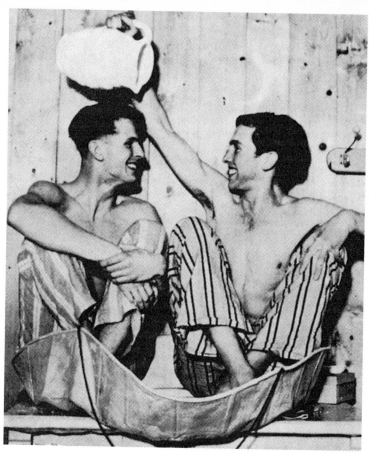

Befreundet seit ihrer Schulzeit: Christoph Probst und Alexander Schmorell

dieses Mediziners aus Wunsch und Wollen bildete die Privatgelehrsamkeit eines wohlhabenden Vaters ohne Amt. DessenHauptneigungen gehörten der modernen Malerei und der vergleichenden Religionsgeschichte. Das Idyll schöpferischer Muße wurde von früher Scheidung getrübt. Wenn Eltern auseinandergehen, so ist dies für Kinder, zumal kleine, meistens ein Ereignis von nachhaltigen, mitunter traumatischen Auswirkungen. Allerdings blieben in unserem Fall die bisherigen Partner trotz beiderseits neuer Heirat einander freundschaftlich verbunden. Für Angelika, geboren 1918, und Christoph, geboren 1919, ergab sich als nicht alltägliche Folge daraus: «Die Kinder hatten zwei Elternhäuser.»[70] Die zweite Frau von Hermann Probst war Jüdin, so daß die Heranwachsenden «den Nationalsozialismus vom Tage der Hitlerschen Machtergreifung als sehr konkrete ... Bedrohung [erfuhren]»[71]. Der Zeitgeist wurde so bei den Probst-Kindern schon als gefährdend erfaßt, als er die jungen Scholls noch werbend umschmeichelte.

Mehrere Oberschuljahre in Schullandheimen vertieften bei Angelika und Christoph Probst die Abwehrregungen. In den Landerziehungsheimen, wie der Pädagoge Hermann Lietz nach 1900 die ersten von ihm gegründeten Einrichtungen genannt hatte, stießen die nationalsozialistischen Versuche, erzieherisch Einfluß zu gewinnen, naturgemäß auf Widerstand; die ganze Richtung dieses pädagogischen Reformbemühens zielte auf den humanitär gebildeten und selbstverantwortlichen Charakter. Weltanschauliche Vervielfältigungsapparate wie die Massenorganisationen des Dritten Reichs waren die Schullandheime nun gerade nicht.

Im Internat Schondorf am Ammersee, das den Lietzschen Ideen verpflichtet war, machte Christoph siebzehnjährig Abitur. Mehr als ein Jahr jünger als Hans Scholl, zog er zweifelhaften Vorteil aus der Verfügung, daß die Oberschulzeit von jetzt an schon nach acht Jahren endete statt nach neun. Die Unterprimaner veranstalteten also zusammen mit den um ein Jahr älteren Abiturienten des «normalen» Jahrgangs 1937 ein Doppelexamen. So gewann Hitler auf einen Schlag zwei Jahrgänge künftiger Offiziersanwärter. Das war Kriegsvorbereitung mit anderen Mitteln; wer Augen und Ohren hatte, konnte auch daran die Zeichen erkennen.

Mit der individualistischen Prägung des Internats versehen, blieb dem Schulabgänger Probst dennoch nichts übrig, als zur Millionenkopie zu werden: erst im Arbeitsdienst wie die anderen, dann im Militärdienst wie die anderen. Im Anschluß daran studierte er Medizin in München, Straßburg und Innsbruck.

Vielleicht hat die gespaltene Häuslichkeit seiner Kindheit und Jugend um so eher den Wunsch nach einer eigenen Familie geweckt. Ungewöhnlich früh heiratete er und war mit 22 Jahren Vater zweier Söhne; kurz vor dem Tod wurde ihm das dritte Kind geboren. Seine Frau: Herta Dohrn, Enkelin des Zoologen Anton Dohrn. Ihr Vater Harald wurde noch in den letzten Kriegstagen als Regimegegner umgebracht.

Christoph Probst war, wie später die Urteilsschrift, ihn zitierend, abfällig befand: ein *unpolitischer Mensch*, «also überhaupt kein Mann»[72]. Er ordnete die öffentlichen Dinge, Ricarda Huch zufolge, «nach einem religiösen und sittlichen Maßstabe»[73]. Dieselbe Beobachterin erkannte in Hans Scholls Vater Robert einen jener Protestanten, «für die das Religiöse im Sittlichen aufgegangen ist»[74], während die Mutter stärker einen unmittelbaren religiösen Einfluß ausgeübt habe. Entsprechend wuchsen

44

Christoph Probst

die Scholl-Geschwister in religiös-moralischer Grundhaltung auf; und so können Hans Scholl und Christoph Probst sich nahegekommen sein (außer über ihrem gemeinsamen Vergnügen am Skilaufen und Bergsteigen).

   Die hier angedeutete sittliche Grundbeschaffenheit ließ den Mediziner Probst besonders empört sein, als er von der geheimen nationalsozialistischen Euthanasie-Selektion erfuhr: als hauptsächlich in den Jahren 1939 bis 1941 «lebensunwertes Leben» in den Heil- und Pflegeanstalten unter dem verhüllenden Griechenwort des «leichten Todes» mit Gas und Gift beseitigt wurde. Angelika Probst: «Ich habe zunächst die ganze Abscheulichkeit des Geschehens nicht begriffen. Christl machte sie mir klar. Er zeigte mir, daß kein Mensch, gleichgültig unter welchen Bedingungen, berechtigt ist, Urteile zu fällen, die allein Gott vorbehalten sind. *Niemand*, so sagte er, *kann wissen, was in der Seele eines Geisteskranken vor-*

geht. Niemand kann wissen, welches geheime innere Reifen aus Leid und Jammer erwachsen kann. Jedes Leben ist kostbar. Wir sind alle Gottes Kinder.»[75] Dies ist die Äußerung eines Studenten von eben über zwanzig Jahren, der konfessionslos aufgewachsen war. Der Vater, in so vielen Religionen zu Hause, hatte sich für keine entscheiden können. Der Sohn nahm alle zusammen und zog aus ihnen die Summe des Ethischen.

Diesen Freundeskreis ergänzte ein ausgesprochen konfessionsgebundener Christ, der einzige Katholik in der Runde: Willi Graf aus Saarbrücken. Während im Dritten Reich hinter vorgehaltener Hand das Neogermanenideal ironisch zusammengesetzt wurde aus der in Wirklichkeit gänzlich ungermanischen Dreiheit der Obersten: «blond wie Hitler, schlank wie Göring und hochgewachsen wie Goebbels», besaß Willi Graf alles in Natur; und er schaute auch noch mit den geschätzten nordisch-blauen Augen aufs Nazigeschehen – allerdings voller Feindschaft von früh an. Geboren im Januar 1918, in der gleichen Epoche des Umbruchs, der auch seine späteren Freunde entstammten und die ein Jahrtausend deutscher Monarchie elend beendete, verlebte er die frühe Kindheit in der nördlichen Eifelgegend, seiner Geburtsheimat, und zog dann mit den Eltern ins Saarland um. Dort wuchs er mit zwei Schwestern auf. Der Vater war im Weingroßhandel tätig und sicherte der Familie eine auskömmliche Existenz. Willi, erzogen in Korrektheit, Sparsamkeit und Strenge, schrieb von sich selbst in der Gestapohaft: *Früh wurde ich mit den Gebräuchen und dem Leben der katholischen Kirche vertraut gemacht, und die einzelnen Jahreszeiten waren erfüllt vom Geiste religiöser Vorstellungen, und auch das tägliche Leben richtete sich nach den Gebräuchen der Kirche: Gebet, Kirchgang und so weiter.*[76] So fand er Zugang zu katholischen Jugendverbänden: 1929, elfjährig, trat er dem katholischen Schülerbund «Neudeutschland» bei, wurde darin 1933 Fähnleinführer. 1934 schlossen sich die Verbände der katholischen Jugendbewegung zum «Grauen Orden» zusammen, an deren illegalen Fahrten und Lagern Willi teilnahm.

Schon in der Aufbruchphase des Hitler-Regimes, als Willi Graf fünfzehn und sechzehn war, strich er kühlen Sinnes Namen aus seinem Adressenbuch mit dem Vermerk: *Ist in der HJ.*[77] Sie waren für ihn gleichsam gestorben. Willi Graf und Hans Scholl: Damals wären sie mit derselben Notwendigkeit auseinander geraten, wie sie sich unter anderen Zeitumständen anzogen. Das wäre schon geschehen, als sie beide, freilich weit voneinander entfernt, in der Untersuchungshaft saßen wegen «bündischer Umtriebe» (wobei allerdings die katholischen Jugendgruppen nicht zu den konfessionsfreien Bündischen zählten). Auch Willi Graf fiel unter die Amnestie des Jahres 1938.

Zu diesem Zeitpunkt studierte er bereits Medizin in Bonn. Andere vom gleichen Alter wurden zur selben Zeit militärisch ausgebildet. So

Willi Graf

war es eben in diesem Zwangsstaat: daß er verwandte Werdegänge dennoch nicht in jedem Fall gleichartig behandelte. Willi Graf durfte die vorklinischen Semester in einem Zuge bis zum Physikum hinter sich bringen – in einem Studium, das er nicht wie Alexander Schmorell nur auf Wunsch des Vaters gesucht hatte und nicht wie Hans Scholl und Christoph Probst aus Neigung, sondern aus Zweckerwägungen. Die Medizin war weltanschaulich weniger eingeengt als die Geisteswissenschaften, die er vorgezogen hätte. Erst Anfang 1940 mußte er zur Wehrmacht einrücken, dann freilich hintereinander mehr als zwei Jahre als Sanitäter bei der Truppe bleiben: erst in den besetzten Westgebieten, dann im Jugoslawien-Feldzug, anschließend in Rußland. Während der ganzen ersten Vormarschphase und über den Katastrophenwinter 1941/42 hinweg erlebte und erlitt er den Krieg im Osten. Anfang Februar 1942 schrieb er an seine Schwester Anneliese:

...ich wünschte, ich hätte das nicht sehen müssen, was ich alles in dieser Zeit mit anschauen mußte. Doch so etwas darf man sich nicht wünschen, denn schließlich hat alles Erlebte seinen Sinn, das wir ertragen müssen... Der Krieg hier im Osten führt mich an Dinge, die neuartig und fremd wie nichts bisher Bekanntes sind. Und das alles muß man verarbeiten, obwohl kaum jemand da ist, mit dem man darüber reden könnte.[78] Vorsichtig formulierte Eindrücke von einem Hakenkreuzzug, einem Krieg, den der Oberste Befehlshaber der angreifenden Seite von den vorherigen Feldzügen unzweideutig abgehoben hatte: «Es handelt sich um einen Vernichtungskampf.»[79]

...kaum jemand, mit dem man darüber reden könnte: Das sollte anders werden, nachdem Willi Graf im Frühjahr 1942 zum Weiterstudieren freigestellt («abkommandiert») worden war und sich für das Sommersemester in München hatte einschreiben lassen. Damals äußerte er in einem Brief: *...gerade in diesen ersten Wochen habe ich mich ja sehr oft gefragt, in welcher Beziehung mich diese nun zurückliegende Zeit verändert habe, denn das hat sie zweifellos... Eine Antwort läßt sich natürlich nicht einfachhin geben, Antwort ist vielmehr die Art, wie man nun weiterzuleben versucht.*[80]

Die Antwort gaben zum Teil die neuen Freundschaften. Durch sein bestürzendes Erleben war er geöffnet und disponiert für die Gegnerschaft bei anderen. Sie währte speziell bei Hans Scholl noch nicht so lange, war dafür geistig gefestigter und tatbereiter. Allerdings war Willi Graf an dem Abend, an welchem Sophie als Debütantin in den Freundeskreis eingeführt wurde, noch nicht dabei. Die Kontaktdrähte der Gesinnungsnähe innerhalb der Medizinerschaft in der Studentenkompanie hatten einander noch nicht berührt. Im Gegenteil, das Tagebuch verrät seine Einsamkeit: *Ein Sonntag zeigt mir immer besonders eindringlich, wie allein ich bin. Es scheint mir oft, als sei es nicht zum Aushalten* (10. Mai 1942). *Junger Mann sucht Anschluß* (2. Juni).[81] Als er ihn gefunden hatte, dauerte es natürlich noch einige Zeit bis zu stärkerer Öffnung. Die Beziehungsschwelle zu dem für ihn schicksalhaften Freundeskreis war am 13. Juni überschritten: *Gespräch mit Hans Scholl, hoffentlich komme ich öfter mit ihm zusammen.*[82] Als die Freundschaft geschlossen war, wurde Willi Graf durch Sophie so gesehen: *Wenn er etwas sagt, in seiner gründlichen Art, so hat man den Eindruck, als habe er es nicht eher aussprechen können, bis er sich mit seiner ganzen Person dazu stellen konnte. Deshalb wirkt alles an ihm so sauber, echt und zutiefst zuverlässig.*[83] Ihr Bruder war bald überzeugt: *Der gehört zu uns.*[84]

Und dann, wie erwähnt, gab es unter den engsten Freunden Otl Aicher, der aber München nicht bewohnte, nur besuchte; der das erzwungene Mitmachen als Soldat bei jeder Gelegenheit auf halsbrecherische Wei-

Carl Muth

se hintertrieb und bei wiederholter «Abwesenheit von der Truppe» nur knapp dem Kriegs- oder Standgericht entging. Manchmal reizte ihn sein Widerwille gegen den diktatorischen Entzug der persönlichen Freiheit zu aufsässigen Respektlosigkeiten. Im Gang eines Lazarettzugs neben einem General mit verpflasterter Nase stehend, fragte der Gefreite boshaft: «So, war die Nas' zu lang?»[85] Die Reaktion, bei solchem Rangabstand, war äußerst ungehalten.

1940 hatte Aicher, noch als Schüler, einen Aufsatz über Michelangelos Sonette an Carl Muth geschickt, den Herausgeber der Zeitschrift «Hochland». Die Hoffnung auf einen Abdruck schlug fehl, aber er bestand die Muth-Probe auf andere Weise: Der Dreiundsiebzigjährige lud den Achtzehnjährigen zu sich ein. So wurden nach und nach auch etliche Scholls mit ihm bekannt, als erster Hans im Herbst 1941. Allerdings, wer die Kenntnis vom Wirken der Weißen Rose später allein aus Inge Scholls Gedenkbuch bezog, las zwangsläufig an dem bedeutenden Namen vorbei, weil er im Halbdunkel anonymer Andeutung belassen wurde: «An einem sonnigen Herbsttag lernte er [Hans] einen silberhaarigen Gelehrten kennen. Hans hatte eigentlich nur etwas abzugeben bei ihm. Aber der Alte blickte mit seinen hellen Augen Hans ins Gesicht, und als er ein paar Worte mit ihm gewechselt hatte, lud er ihn ein, bald wiederzukommen. Von da an war Hans sein täglicher Gast. Stundenlang konnte er sich mit der riesigen Bibliothek beschäftigen. Hier verkehrten Dichter, Ge-

hochland

Monatsschrift für alle Gebiete des Wissens / der Literatur u. Kunst · Begründet u. herausgegeben von Karl Muth

Drittes Heft 1940/41 · Achtunddreißigster Jahrgang

Dezember

Gedanken zu einer Metaphysik des Fühlens / Von Theodor Haecker
Der Zusammenhang der Welt (II) / Von Wilhelm Moock ∷
Nikolaus Cusanus — der Philosoph der Konkordanz / Von
Dr. Joseph Goergen ∷ ‚Die Vorbedrift‘ / Erzählung von Josef
Winkler ∷ Ode / Nach dem Lateinischen d. Jakob Balde von Christoph
Flaskamp

Rundschau und Kritik: Die Lüge von Suez ∷ Neue Gedichtbücher ∷
Alpenländische Gotik ∷ Albert Ehrhard † ∷ Weihnachtsbücherschau

Kunstbeilagen: Die Gaben der Könige ∷ Evangelist Matthäus / St.
Lambrechter Evangeliar

Verlag Kösel-Pustet KG. München u. Kempten
Verlagsort Kempten im Allgäu

lehrte und Philosophen. Hundert Türen und Fenster in die Welt des Geistes taten sich ihm im Gespräch mit ihnen auf.»[86]

Die Identität reichte die Autorin dem Ungenannten in München-Solln erst 1982 nach: «An einem Herbsttag lernte er Carl Muth, den ergrauten Herausgeber des ‹Hochland›, einer bekannten Zeitschrift, kennen, die von den Nazis verboten worden war.»[87]

«Hochland», das war 38 Jahre lang ein Programm gewesen. Carl Muth, 1867 geboren, hatte den Katholizismus aus dem Ghetto antimodernistischer Abwehr befreien und an die Welt heranführen wollen, zugleich bemüht, ihn gegenüber dem preußisch-protestantischen Übergewicht im Eigenwert überzeugend zu machen. Walter Dirks rühmte an «Hochland», daß die nahezu 40 Jahrgänge, 1903 bis 1941, zwei Generationen gebildeter Katholiken bewegt und gefestigt, Geister und Herzen in fruchtbarer Unruhe gehalten haben. Streng in seinem persönlichen Glauben, dabei unorthodox; politisch gesehen einer der wenigen Liberalen im deutschen Katholizismus, einer, der die Anfechtungen aus Rom durch sein Geschick im Reden, Verhandeln und Auftreten immer wieder abwehrte – er erlag zuletzt der uniformierenden, einebnenden NS-Pressepolitik. Zuvor hatte er in acht «Hochland»-Jahrgängen seit 1933 fertiggebracht, den Namen Hitler nicht ein einziges Mal zu erwähnen. Dafür wimmelte es von Anspielungen auf die Zwänge des Systems, oft versteckt in historischen Analogien, die man nur richtig lesen mußte. Vergleichbar hatte Montesquieu seine Kritik am französischen Absolutismus etwa in dem Satz verkleidet, bei den Türken herrsche fürchterliche Despotie. Jeder gebildete Leser verstand ...

Sein nie erlahmender pädagogischer Antrieb ließ Carl Muth selbst über den Altersabstand eines halben Jahrhunderts hinweg bestrebt sein, auf junge Menschen einzuwirken, als Bildner an ihrer Weltsicht zu modellieren. In diesem christlichen studium generale war die konfessionelle Fakultät zweitrangig. Muth war viel zu weit angelegt, um schmalsichtige Mission zu betreiben. Die jungen Scholls als getaufte Lutheraner unterlagen keinem Bekehrungseifer. Doch dieser Umgang vertiefte ihr allgemeinreligiöses Werten und Verstehen. Dafür spricht der Brief, den Hans Scholl zu Weihnachten 1941 an ihn schrieb. Lange habe er Verlassenheit und Leere gespürt, bis *eines Tages von irgendwoher die Lösung* gekommen sei. *Ich hörte den Namen des Herrn und vernahm ihn. In diese Zeit fällt meine erste Begegnung mit Ihnen. Dann ist es von Tag zu Tag heller geworden. Dann ist es wie Schuppen von meinen Augen gefallen. Ich bete. Ich spüre einen sicheren Hintergrund und ich sehe ein sicheres Ziel. Mir ist in diesem Jahre Christus neu geboren.*[88]

Hans Scholls Auftreten und seine entschiedene oppositionelle Haltung, die ganz dem Bild von einem jungen Menschen entsprach, «auf den Carl Muth seine Hoffnung für die Zukunft setzte»[89], ließ es dem Gelehrten angelegen sein, ihn möglichst oft um sich zu haben. So bot er ihm an, seine mächtige Bibliothek zu katalogisieren, was der Student mit Freuden annahm und besorgte.

Aus den Briefen und Aufzeichnungen der Geschwister spricht der Name immer wieder, wobei die Mehrzahl der Hinweise anderen Gegenständen gilt. *Die Aktion gegen die Juden in Deutschland und den besetzten Gebieten* – das heißt, die Einführung des gelben Sterns – *hat ihm die Ruhe genommen* (Hans Scholl, November 1941); *Muth hat geschrieben: Wir sollen für Otl beten. Ich habe noch nie daran gedacht, für ihn zu beten, er schien es mir gar nicht nötig zu haben. Aber wer hat das nicht nötig.*

Selbst ein Heiliger (Sophie Scholl, November 1941); *Ich staune, daß er die Zeit und Muße fand, sich auch mir zuzuwenden, wo er es doch nicht nötig gehabt hätte. Er muß ein sehr gütiges Herz haben, daß solche kleine Menschen, die ihn nur durch ein ganz äußerliches Geschäft berühren, Platz darin finden* (Sophie Scholl, November 1941; sie hatte ihm Obst geschickt); *Mein treuester Freund ist immer noch Karl* (sic) *Muth, bei ihm kannst Du mich täglich finden* (Hans Scholl, April 1942); *Es geht ihm nicht besonders gut. Die Ereignisse nehmen ihn sehr mit, und die Kriegsernährung hebt sein Allgemeinbefinden nicht. Könnt Ihr ihm nicht ein paar Pfund Weißmehl besorgen, daran fehlt es ihm besonders, schwarzes Brot kann er nicht essen. Und, sobald es wieder geht, Forellen. Von solchen Dingen, so gering man sie achten möchte, hängt zum großen Teil sein Ergehen ab* (Sophie Scholl, Juni 1942).[90]

Durch Carl Muth lernten die Freunde Theodor Haecker kennen, einen seiner wichtigsten früheren Mitarbeiter im «Hochland», aber schon vor dessen erzwungenem Schweigen mit Schreibverbot belegt. Der eine wie der andere erlebten nicht mehr, was sie ersehnten, die Wiederkunft der geistigen Freiheit. Muth starb im November 1944 in Reichenhall, Haecker im April 1945 bei Augsburg, achtzehn Tage vor dem Erscheinen amerikanischer Soldaten.

Theodor Haecker

Der Kulturphilosoph und Privatgelehrte, zwölf Jahre jünger als Muth, Württemberger wie die Scholls, war unter dem religiösen Einfluß von John Henry Newman zum Katholizismus übergetreten, wobei er Newmans unstarres Verhältnis zum Dogma übernahm. Er hatte Kierkegaard übersetzt, mit dem er die Schwermut teilte und vielerlei Gequältsein. An Kafka erinnert seine Zukunftsangst vor einer entpersönlichten, technisierten und heillosen Automatenwelt. Dem Machtstaat galten viele abweisende Worte. Hegel, den schwäbischen Landsmann, hielt er für preußisch verdorben; der hegelianisch-preußische Staatsgedanke habe den Menschen das Herz aus Fleisch gegen eines aus Eisen und Papier eingetauscht, was für ihn so viel bedeutete wie: die Verbindung von Pflicht und Phrase. Er wünschte das Ende der preußischen Hegemonie herbei. Die NS-Rassenpolitik beantwortete er mit bösen Visionen. «Es kann die Zeit kommen», notierte er anläßlich der Verordnung über den tragbaren Pranger, den gelben Stern, «daß die Deutschen im Auslande auf der linken Seite der Brust ein Hakenkreuz, also das Zeichen des Antichrist, tragen müssen.»[91]

Wenn Haecker, der jeden seiner Gedanken durch das Sieb denkerischer Genauigkeit preßte, bevor er ihn weitergab, im Kreise der Zuhörer in geschlossener Gesellschaft las, waren dies *eindrucksvolle Stunden* (Sophie Scholl). *Seine Worte fallen langsam wie Tropfen, die man schon vorher sich ansammeln sieht und die in diese Erwartung hinein mit ganz besonderem Gewicht fallen. Er hat ein sehr stilles Gesicht, einen Blick, als sähe er nach innen.*[92]

Sonderbar mag es wirken, daß hier erst an dritter Stelle derjenige unter den Mentoren genannt wird, der doch im Bewußtsein einer großen Öffentlichkeit, seines Opfers wegen, der erste unter ihnen war: Kurt Huber. «Six against Tyranny», wie Inge Scholls Buch im amerikanischen Leserkreis bekannt wurde – so ist das Bild ins Erinnern gemeißelt: fünf Studenten und ein Professor, ein Professor und fünf Studenten, je, wie man die Akzente setzt. Wahr ist nun aber, daß Kurt Huber an den Flugblättern Nummer eins bis vier gar nicht beteiligt war; dann allerdings, vom Herbst 1942 an, gewann er unter den Älteren den entschiedensten Anteil am Geschehensverlauf. Die längere, tiefere geistige Einwirkung auf die Studenten, insonderheit Hans Scholl, die hatte Carl Muth, und auch Theodor Haeckers geistige Handschrift ist in den ersten Flugblättern auszumachen. Sie beide zunächst gewürdigt zu haben, ist daher gerecht.

1893 im schweizerischen Chur geboren, in Stuttgart aufgewachsen, hatte Kurt Huber in München Philosophie und Musikwissenschaft studiert. Hier fand er seine bleibende wissenschaftliche Heimat: mit der Promotion summa cum laude, der Habilitation, der Dozentur in den beiden Fächern, innerhalb der Philosophischen Fakultät. Wie der Philosoph Leibniz einer seiner Forschungsschwerpunkte im ersten Fachbereich wurde, so das Volkslied im zweiten. Hier entwickelte er sich zu einer der maßgebenden Autoritäten. Traf er sich auf diesem Gebiet sogar mit der nationalsozialistischen Brauchtumspflege, so mangelte es ihm doch zu ersichtlich an allgemeiner politischer Überzeugungstreue, um einen regulären Lehrstuhl zu erlangen, am wenigsten an einer weltanschaulich straff geleiteten Universität, deren damaliger Rektor Walther Wüst sich einen Freund Himmlers nennen durfte, einen höheren Rang in der SS bekleidete und «arische Kultur- und Sprachwissenschaft» lehrte.

Hubers Sammlertätigkeit auf dem Gebiet des Volksliedes trieb ihn viel umher, vor allem im bajuwarischen Raum. Ob er wohl bei solch lebendiger Quellenforschung an Goethes ähnliche Erkundungen gedacht hat? «Ich habe noch aus dem Elsaß zwölf Lieder mitgebracht, die ich auf meinen Streifereien aus denen Kehlen der ältesten Müttergens aufgehascht habe»: so in einem Brief an Herder im September 1771. Der junge Goethe hatte wenigstens zu Pferde forschen können, während dem Gelehrten Huber leider durch eine schwere Diphtherie Behinderungen zurückgeblieben waren, die sich nicht nur körperlich auswirkten, sondern auch im Sprechen.

Trotzdem füllten die Hörsäle sich bis zum Gedränge, wenn Professor Huber Vorlesung hielt; wobei er aber gerade nicht «las», sondern frei sprach – unter doppeltem Handicap: physisch gehemmt und politisch bespitzelt. Vielleicht machte es den besonderen Reiz seiner Vortragsweise aus, daß er mitunter, wenn er in leidenschaftlichen Eifer für die behandelte Sache geriet, jede sprachliche Stockung verlor und daß er die Philosophie der Macht mit der Macht der Philosophie bekämpfte, zum Beispiel mit Hilfe von Leibniz' Theodizee. Wie Carl Muths Zeitschrift, so strotzte Hubers Kollegstil von subversiver Kunstfertigkeit und Pointenfülle. Beim Zitieren eines mißliebigen oder verbotenen Autors deckte er sich gegen feindselige Ohren manchmal mit ironischer Absicherung: *Er ist Jude, Vorsicht, daß man sich nicht vergiftet!*[93] Als einer seiner Hörer in der Seminarbibliothek Schriften Verfemter entdeckte, die der rassischen Säuberung entgangen waren, tat der Professor erfreut, daß das Versäumte nachgeholt werden konnte: *Nehmen Sie sie nur ruhig mit, das ist die Rettung des deutschen Geistes vor jüdischer Vergiftung!*[94] Es gibt aber auch Zeitzeugen, die den Hochschullehrer in gar nicht so engem Zirkel, etwa im philosophischen Seminar, bei Unvorsichtigkeiten ertappten, in Momenten, in denen der politische Zorn und Widerwille den cholerisch veranlagten Wissenschaftler übermannten. Sophie Scholl übrigens hörte bei Huber in ihrem ersten Semester eine Vorlesung über «Leibniz und seine Zeit» (eine geschätzte Gelegenheit, im Gewand des Aufklärungszeitalters das eigene aufzuklären); Willi Graf hatte bei ihm belegt: «Ton- und Musikpsychologie».

In seiner Verteidigungsrede vor dem Volksgerichtshof hat Huber dargelegt, wie seine und Hans Scholls Lebensbahnen sich trafen: *Ich bin mit Scholl an einem Abend bei Frau Dr. Mertens bekannt geworden, zu dem sie mich gebeten hatte. Es war eine Anzahl junger Mediziner und Studentinnen und einige Ältere aus ihrem Bekanntenkreis geladen. Im Verlauf der Diskussion* nach einem vorgelesenen religiösen Text *ergaben sich scharfe Gegensätze zwischen Nord und Süd, dessen Exponenten Scholl (Süd) und ein Dr. Ellermann waren, die ich zu überbrücken suchte. Beide machten mir einen sehr intelligenten Eindruck, und man beschloß, wieder zusammenzukommen.*[95]

Kurt Huber

Frau Gertrud Mertens: eine Pianistin und Sängerin, die Hauskonzerte und literarische Zusammenkünfte schätzte. Heinrich Ellermann: einer von Christoph Probsts Lehrern im Schullandheim Marquartstein, inzwischen aber ins Verlagswesen übergewechselt. Christoph selbst, Sophie Scholl und Alexander Schmorell gehörten ebenfalls zu der Gesellschaftsrunde. Hans Scholl, von dem die Huber-Schülerin Katharina Schüddekopf sagt, «Hans äußerte in Diskussionen kein Wort»[96], muß sich bei den als regimekritisch geltenden Gastgebern und ihren Gästen sehr sicher gefühlt haben, daß er seine sonstige Vorsicht vergaß. Auch rief er in aufgeräumter Stimmung: *Wir mieten uns* (nach dem Krieg) *eine Insel in der Ägäis und machen weltanschauliche Kurse.*[97]

Bei dem folgenden streitbaren Hin und Her um die Frage, was man denn heute schon tun könne, habe Ellermann, so wird berichtet, äußeren Widerstand für erfolglos gehalten, woraufhin Kurt Huber «mit ungewöhnlich exaltierter Stimme» entgegengehalten habe: *Man muß etwas tun, und zwar heute noch!*[98] Hans Scholl, vom Gedankenausflug in die Ägäis vorzeitig zurückgekehrt, habe ihm recht gegeben: Eine Tat sei nötig, man könne sie *jetzt nicht mehr zurückhalten*[99]. Es war der 3. Juni 1942.

Die Weiße Rose

Je weiter das Dritte Reich in die Vergangenheit entrückt, desto schwieriger wird es, etwas vom inneren Klima zu vermitteln. Wir können endlose dokumentarische Filmstreifen ablaufen lassen, an denen doch ersichtlich nichts gestellt und unecht ist: Bilder frenetischen Jubels, verzückter Gesichter, tranceartiger Berauschtheit angesichts des Führers, nach dessen Händen Frauen wie nach einer Reliquie greifen. Dann aber: Elektrische Zäune und Wachttürme umdrohen Konzentrationslager mit politischen, Glaubens- und «rassischen» Häftlingen, wobei am Tor einer dieser Schreckensstätten in gußeisernem Zynismus die Inschrift «Jedem das Seine» prangt. Anders wieder: Hunderttausende Uniformierte mit erleuchteten Gesichtern sind Statisten beim «politischen Karfreitagszauber»[100] der meisterhaft inszenierten staatlichen Verbrüderungsrituale, sie baden in Scheinwerferlicht und Fahnentuch. Aber an Ortseingängen stehen abweisende Schilder: «Juden unerwünscht», und Gesetze verbieten Partnerschaften, die sich nicht der Zwangsvorstellung von Rassenreinheit fügen wollen. Olympisches Feuer vereinigt die Jugend der Welt, aber zwei Jahre später, wenn abermals Feuer entzündet wird, brennen die Synagogen, und Gewalttäter in Braun zertrümmern jüdische Geschäfte. Das NS-System ist sozial das modernste der Welt und fällt zugleich in archaische Ausgrenzungen von Minderheiten zurück. Es bringt unter seinen Kunstprodukten eine Reihe Filme von bleibendem Rang hervor und appelliert in seiner Massenpropaganda (auch filmischer) an niedrigste Instinkte. Das neuzeitliche Pharaonenvorhaben der Autobahnen schwelgt in technischem Erweckungsgeist, der den Nerv der Epoche anscheinend besonders anrührt, doch im Übernationalismus wird der Geist von 1914, der in den Schützengräben tödlich verwundet wurde, nur noch künstlich ernährt. Schließlich ziehen Millionen singend in den neuen Krieg, nicht jubelnd wie beim vorigen Mal, sondern fügsam-ergeben,

Adolf Hitler beim Reichsparteitag 1934 in Nürnberg

wobei sie in Blitzfeldzügen täuschende Triumphe einbringen, während hinter dem abschirmenden Außenring des Heeres die Fließbänder des Todes hergerichtet werden für das größte organisierte Massenverbrechen der Welt.

Trennt man beide Motivreihen, so sind sie, jede für sich genommen, in absoluter Hinsicht wahr. Aber nur im Mit- und Ineinander gibt es Annäherungen an die relative Wahrheit, die historische Wirklichkeit. Das Irritierende ist nun, daß die große Mehrheit damals gerade nicht tat, was hier synoptisch nachgestellt wurde. Sie vereinigte nicht die Blickweisen, sondern selektierte, und zwar im beschönigenden Sinn. Den Befreier vom Massenelend der Weltwirtschaftskrise, den Herold deutscher Wiedergeburt und Größe stattete sie allmählich mit erlöserhaften Zügen aus, wobei sie die Übelseiten des Regimes herunterspielte oder gänzlich übersah, vieles geheimgehaltene Verbrecherische auch tatsächlich nicht wußte oder aus Kenntnisbruchstücken ein unzulängliches Bild gewann.

Zur Kompliziertheit des Gegenstands trägt bei, daß viele der späteren Widerständler anfänglich mit dem «Revisionisten» Hitler, dem Überwinder des Versailler Zwangsvertrags, ganz einig waren und dem armen, redlichen Staatsunternehmen «Weimar» nicht nachtrauerten. Die konservativen Hitler-Gegner waren, im Unterschied zu den sozialdemokratischen, zumeist keine Demokraten im heutigen Sinn. Der Nationalsozialismus, zumindest in der Person seines obersten Gebieters, rührte in ihnen Saiten an, deren Schwingungen zunächst nicht dissonant erklangen; erst dann, als das Gehör geschärfter war. So ist der Nationalsozialismus ein Vielfältigkeitsphänomen, ein Gespinst von Kontrasten, dessen Fäden zu entwirren große Sorgfalt verlangt.

Wird hierhinein der engere und weitere Oppositionskreis der Weißen Rose gestellt; werden die bisher gezeichneten biographischen Verlaufslinien mit dem zeitgeschichtlichen Hintergrund in Beziehung gesetzt, so ergibt sich, daß wir es mit keiner verallgemeinerungsfähigen Personenauswahl zu tun haben, sondern mit derjenigen aus einer Minderheit.

In den Elternhäusern der Studenten, auch unter ihren späteren Mentoren, wurde der NS-Staat schon von Beginn an abgelehnt. Sie paßten also nicht einmal zum repräsentativen Querschnitt des deutschen Widerstands, wo man zumeist erst bittere Läuterungsprozesse durchlief, abgesehen von den Sozialisten darunter. Dabei waren aber die Antihaltungen in unserem Kreis ziemlich unterschiedlich gefärbt. Die Häuser Graf, Muth und Haecker lehnten den Nazismus schon aus Gründen ihrer engen Bindung an das katholische Christentum ab. Familie Probst spürte demgegenüber besonders früh das hetzerische Sortierverfahren zwischen «arischen Kulturträgern» und «Artfremden» im deutschen Volk.

Kurt Hubers Widerstreben rührte am ehesten aus der Entsittlichung des Gemeinwesens, ein Protest, in welchem er sich innerlich mit Robert Scholl begegnete, ohne daß allerdings Hubers betontes deutsches Vaterlandsgefühl (als gebürtigem Eidgenossen!) dem Waffendienstverweigerer von 1914 allzu nahe war.

Glaube und Politik

Und die Studenten selber? Wenn man die bisherigen Eindrücke zusammenfaßt, waren dann die Webmuster ihrer inneren und äußeren Gegenwehr auch so vielfarbig, oder ist eine Grundfärbung auszumachen? Die haben jedenfalls einige aus genauem Einblick, früher und später, erkannt. Christoph Probsts Sohn Michael, der, wie ein Vermächtnis erfüllend, den medizinischen Wunschberuf des Vaters erlernte und ausübt, und seine Frau Barbara «kennen nur eine Motivation für den Widerstand von Christoph Probst: seine Religiosität, die ihren Höhepunkt in der Taufe vor der Hinrichtung fand»[101]. Wie ergänzend dazu faßt Inge Jens als Herausgeberin der Scholl-Aufzeichnungen zusammen: «Das religiöse Verständnis der Geschwister Scholl – das zeigen die Briefe – gewann unter dem Einfluß von Carl Muth an Intensität und konkretem Bezug. Die christliche Botschaft wurde zum Kriterium ihres Denkens und Tuns.»[102] Der Münchner Buchhändler Josef Söhngen hatte dieser Feststellung schon früher das Bemerken vorausgeschickt, daß Hans Scholl «um religiöse Probleme mit einer Heftigkeit gerungen hat, wie ich es überhaupt nicht wieder erfahren habe»[103].

Daran wird man nicht leicht zweifeln angesichts einer Belegstelle wie dieser vom Januar 1942: *Welche Kraft habe ich da gefunden* (im Beten)*! Endlich weiß ich, an welcher unversieglichen Quelle ich meinen fürchterlichen Durst löschen kann.*[104] Während er sich als einen Pilger bezeichnete, von sich sagte, er sei *ein homo viator, ein Mensch auf dem Wege*[105], hatte seine Schwester es mit der Orientierung schwerer, bei gleichem Bemühen. Ende 1941 schreibt sie: *Ich habe keine, keine Ahnung von Gott, kein Verhältnis zu ihm... Und da hilft wohl nichts anderes als Beten.*[106] Juni 1942, im Tagebuch: *...o, wenn ich einmal Vater sagen könnte zu Dir... Ich tue es, in ein großes Unbekanntes hinein, ich weiß ja, daß Du mich annehmen willst, wenn ich aufrichtig bin, und mich hören wirst, wenn ich mich an Dich klammere. Lehre mich beten.*[107] November 1942, an Fritz Hartnagel: *Ja, könntest Du dort einmal in eine Kirche und am Abendmahl teilnehmen. Welche Trost- und Kraftquelle könnte Dir das sein. Denn gegen die Dürre des Herzens hilft nur das Gebet, und sei es auch noch so arm und klein.* Aber im selben Brief: *Ich bin Gott noch so fern, daß ich ihn*

nicht einmal im Gebet spüre. Doch ... ich will mich an das Seil klammern,
das mir Gott in Jesus Christus zugeworfen hat.[108]

Leidenschaftliche Gottsucher alle beide, wobei das Mädchen auf dem Wege dahin höhere Hürden überwinden mußte oder in ihrem unerbittlichen Denken selbst aufrichtete. Ein nahestehender Beobachter behielt im Gedächtnis ihr Zögern an dem Punkt, welcher nachdenkliche Christen zu allen Zeiten irritiert hat: *Ich ertrage seine Ungerechtigkeit nicht. Wenn er Gott ist, kann er nicht zulassen, daß die Menschen sich an der Natur ein Beispiel nehmen, wo das eine das andere auffrißt, mordet und ausrottet. Ich fühle die Macht Gottes, aber ich weiß nicht, wer er ist.*[109]

Das sind die Anfechtungen, aus denen manche ernsten Geister keinen anderen Ausweg finden, als – wie etwa der Tatchrist Albert Schweitzer – zuzuerkennen, daß man nicht einen Gott in Anspruch nehmen dürfe, der für die Gerechtigkeit interveniere. Es ist der Standpunkt, der infolgedessen Gottes Wirken in deistischem Verzicht mit der Schöpfung enden läßt und die Weltdinge, zu Wohl oder Wehe, zur Menschensache erklärt. Wenn die Scholl-Kinder demgegenüber, theistisch denkend, den handelnden Gott anerkannten und sich seinem so gesehenen Tun unterwarfen, dann geschah es doch bei Sophie mit dem Beiklang der nicht unbedingt nachvollziehenden Einsicht.

Um den Gegenstand abzurunden, bedarf es kaum beistimmender Zitate von Willi Graf. Ihm ist aus Herkunft und Erziehung von vornherein zu unterstellen, daß die christliche Botschaft sein Denken und Handeln leitete. Entsprechend Ricarda Huchs Bemerkung, die Religion sei der Mittelpunkt seines geistigen Lebens gewesen.

Ricarda Huch. Das von ihr vorbereitete, von Günther Weisenborn vollendete Buch «Der lautlose Aufstand» (1953) war eine der ersten Darstellungen des deutschen Widerstands gegen das Dritte Reich

Und Alexander Schmorell? Dieselbe Autorin, deren letzte Arbeiten dem deutschen Widerstand galten, bezeichnet den (griechisch-orthodoxen) Glauben, in dem er getauft war, als seinen selbstverständlichen Besitz, ohne daß er sich seines Eigentums so bewußt versicherte oder darum kämpfte wie die anderen; ein seelischer Aktivposten, der erst in den Prüfungen der Haft Rückhalt gewährte.

Alles in allem: Der Geist, aus dem die Weiße Rose hervorging, ist nicht ohne die religiösen Bindungen ihrer Repräsentanten zu verstehen. Nur: Sind die Beweggründe damit ausreichend erklärt? Dergleichen hängt immer vom Auslegen der Zeugnisse ab. Da der Einzugsbereich formender Literatur in jenen Jahren sehr ausgedehnt war und die Flugblätter ausgiebig aus den Zeugnissen der deutschen Bildungstradition zitieren, so sind deren zusätzliche Einflüsse nicht gering zu werten. Bei den jungen Scholls kommt aber in jedem Fall ein Blick fürs Politische hinzu. Diesen Faktor wird man um so mehr zu berücksichtigen haben, als ein entschiedener Satz ihres Vaters dafür steht: «Im Elternhaus der Geschwister Scholl spielten politische Fragen von jeher eine dominierende Rolle.»[110]

Sophie schrieb schon im Frühjahr 1940 – am Tag, als die Nordland-Invasion begann –, es gebe ja bald nichts anderes mehr als Politik, und solange sie so verworren und böse, sei es feige, sich von ihr abzuwenden. Eine bemerkenswerte Begründung. *Man hat uns eben politisch erzogen.*[111] In diese Äußerung mit hineinzulesen sind ihre früher zitierten Stellungnahmen zur Politik. Das gilt auch für ihren Bruder. Beziehungsreich stehen in einem Brief vom Januar 1942 an die Eltern Verse aus Goethes «Epimenides» von 1814, die mit deutlichem Bezug auf Napoleon geschrieben waren, trotz Goethes nie ganz erlöschender Bewunderung, und die Hans wiedergab, deutlich anspielend auf Hitler, nach gänzlich erloschener Bewunderung:

Was aus dem Abgrund kühn entstiegen,
Kann durch ein ehernes Geschick
Den halben Erdball übersiegen –
Zum Abgrund muß es doch zurück.
Schon droht ein ungeheures Bangen,
Vergeblich wird er widerstehn.
Und alle, die an ihm gehangen,
Sie müssen mit zugrunde gehn.

Die Engländer, schrieb Hans Scholl tarnend dazu, könnten sich das Gedicht *hinter die Ohren schreiben*[112] – Montesquieus Türken-Maskerade ins Deutsche übertragen...

Wer die Flugblätter der Weißen Rose, jedenfalls fünf von ihnen, we-

O.U, am 12. Mai 1940.

Liebe Eltern.

Leider muss ich Euch einen Teil meiner
Bücher wieder zusenden. Vielleicht werde ich später
doch einige bald wieder anfordern. Haltet bitte
das „Repetitorium anatomicum" von Broesike-
Mair bereit, weil ich es am notwendigsten ge-
brauchen kann. Den „Nachsommer" und die
„Adelaide" soll Werner in meine Bücherei ein-
ordnen.

Die Griechen haben uns ein windiges
Pfingsten gebracht. Trotzdem habe ich heute ge-
badet. Es ist so schade, dass wir den Standort
nicht verlassen dürfen. Man könnte jetzt herrliche
Wanderungen machen. Ihr werdet dies hoffentlich
in reichlichem Maße tun.

herzlich grüßt Euch
euer Hans.

Brief von Hans Scholl an die Eltern, 12. Mai 1940

sentlich mitgestaltet hat oder gar überwiegenden Anteil an ihnen besitzt,
dessen Denken braucht als politisch im Grunde nicht erst erwiesen und
verteidigt zu werden. Sie sind, diese Flugblätter, der bleibende Ausdruck
einer Sinnesweise, die den Anlaß zum Handeln dem intensiven Erleben
der politischen Realität entnahm, ihre Maßstäbe für Gut und Böse indes
aus Gesetzen ableitete, die etwas älter waren als das Tausendjährige
Reich. Christliche Botschaft und Politik waren, zumindest für die jungen

Scholls, ein Denk- und Tat-Zusammenhang, ein Sowohl-als-Auch. Politik – ja, aber eben anteilig. Die Wirklichkeit wurde stets verkürzt, ja verfälscht, wenn man die Mitglieder der Weißen Rose ins politische Streckbett von «antifaschistischen Friedenskämpfern» preßte. Die etikettartige Kultformel, die vor allem in der DDR umlief, unterwarf diese Opfer einem ausschließlich politischen Widerstandsmotiv, weil andere Beweggründe aus solchem Blickwinkel nicht aufgenommen wurden.

Die differenziertere Denkart der Münchner Opposition verkennen und verfehlen aber nicht weniger diejenigen, die ihr nun umgekehrt alles Politische absprechen und sie einer Tradition einfügen, «die eine unpolitische, christliche, idealistische, bürgerliche und sehr deutsche Welt gewesen ist»[113]. Wohl waren die Münchner Nazigegner zum Teil unpolitisch, waren fundiert christlich, ausgesprochen idealistisch, entstammten bürgerlichen Schichten und waren, wie denn auch anders, sehr deutsch. In der Summe jedoch wirken diese Adjektive schablonenhaft, weil sie die Gruppe abwertend genau jenem Bildungsbürgertum zuordnen, «das seit 1848 an seiner Möglichkeit, politisch zu wirken, verzweifelt hatte»[114]. Statt dessen bejubelte es danach kritiklos die wilhelminische «Weltpolitik», strafte nach deren Scheitern die Weimarer Demokraten mit Verachtung und fiel zuletzt dem Naziwesen anheim, neuerlich jubelnd und ohne Urteilskraft.

Dieses einengende Qualifizieren trifft nach allem bisher schon Offenliegenden auf unseren Kreis nicht zu. Gerade dies aber ist die Tendenz eines vielbenutzten, wegen seiner quellenkundlichen Ergiebigkeit weithin als maßgeblich eingeschätzten Buchs über die Weiße Rose (Klappentext des Verlags: «...die abschließende Darstellung»): nämlich der Abhandlung von Christian Petry aus dem Jahre 1968. Trübte hier zu sehr das Eigenverständnis vieler Achtundsechziger den Blick? Hielt eine hochkritische Traditionsgegnerschaft einen bildungsbürgerlichen Hintergrund schon von vornherein und grundsätzlich für beklagenswert politikfern?

Ehrenwert ist zwar das Eingeständnis im Vorwort, wonach «vergangene Zustände für Jüngere, die diese Vergangenheit nicht erlebt haben, bei noch so genauem Quellenstudium nie ganz verständlich werden können»[115]; um so mehr gilt es, sich ihr behutsam und ohne Scheuklappen anzunähern. Dann dürfte auch eine zeitgenössische Zeugenschaft von einigem Gewicht nicht gänzlich mißachtet werden. Der Oberreichsanwalt hätte einen unpolitischen Bürgerhorizont bei Hans Scholl zu beleuchten gewiß nicht versäumt. Ganz im Gegenteil aber erklärte er: «Der Angeschuldigte ... hatte sich bereits seit langem Gedanken über die politische Lage gemacht. Er war dabei zu der Überzeugung gekommen, daß ebenso wie 1918 auch nach der Machtübernahme durch den Nationalsozialismus nicht so sehr die Masse des deutschen Volkes, sondern gerade

[Handwritten letter by Sophie Scholl, dated 13. September 1941]

Brief von Sophie Scholl an Lisa Remppis, 13. September 1941

die Intelligenz politisch versagt habe. Nur aus diesem Grunde, so meinte er, hätten Massenbewegungen mit ihren einfachen Parolen jede tiefere Gedankenarbeit übertönen können. Er empfand es daher als seine Pflicht, die Intelligenz des Bürgertums auf ihre staatspolitischen Pflichten hinzuweisen, worunter er den Kampf gegen den Nationalsozialismus verstand.»[116] Unbekümmert um die Wiedergabe dieser Ausführungen in seinem eigenen Dokumententeil unterstellt Christian Petry den Geschwistern Scholl und ihren Freunden, daß sie «von politischer Analyse ihrer Zeit nichts wissen und die Bedingungen und Möglichkeiten ihrer eigenen Aktivitäten nicht konsequent durchdenken»[117].

Derselbe Verfasser rühmt fairerweise die Tat der Weißen Rose als «aus unserer Geschichte nicht mehr auszulöschen» und sieht in ihr «ein äußerstes Zeichen persönlicher und moralischer Integrität»[118]. Gerecht und wahr. Nur ist es reine Denkmalspflege, ist Würdigung eines Opfers, dem jede bleibende Verbindlichkeit abgesprochen wird. Das tödliche Mißlingen des studentischen Protests wird, auch wenn die Machtverhältnisse unüberwindlich waren, doch im Prinzip auf eine fehlprogrammierte Geisteshaltung zurückgeführt. Da die Weiße Rose ihr moralisches Engagement nicht unter die Kontrolle politischer Rationalität gebracht habe, könne sie «nicht mehr als der Ansatzpunkt einer Tradition politischen Denkens und Handelns angesehen werden»[119]. Die Dinge so zu beleuchten, spricht für ein gehöriges Maß an weltanschaulichem Pharisäertum, das sich in der vorgefaßten Meinung von allen entgegenstehenden Zeugnissen nicht beirren ließ und damit seine eigene zeitgebundene Ausgangslage erweist.

Die ersten Flugblätter

Es muß ein sichtbares Zeichen des Widerstandes von Christen gesetzt werden. Sollen wir am Ende dieses Krieges mit leeren Händen vor der Frage stehen: was habt ihr getan?[120] Die nicht datierte Äußerung von Hans Scholl ähnelt mehreren sinngleichen Bekundungen der Schwester: *Wie könnte man von einem Schicksal erwarten, daß es einer gerechten Sache den Sieg gebe, da sich kaum einer findet, der sich ungeteilt einer gerechten Sache opfert* (22. Mai 1940).[121] *Wenn hier Hitler mir entgegen käme und ich eine Pistole hätte, würde ich ihn erschießen. Wenn es die Männer nicht machen, muß es eben eine Frau tun* (Dezember 1942).[122] «Die Stelle aus dem Jakobus-Brief, ‹Seid Täter des Wortes, nicht Hörer allein!› war [für Sophie] eine entscheidende Maxime.»[123] Dieses Erinnerungswissen von Inge Scholl deckt sich mit demjenigen von Otl Aicher: «Sie beharrte auf der Übereinstimmung von Denken und Tun und sah in der Art, wie eine solche Übereinstimmung zustande gebracht wurde, den Grad der Entfaltung einer Persönlichkeit.»[124]

Die daraus hervortretende Grundstimmung, die in Ansätzen seit 1940 faßbar ist, mußte sich bestätigt und bestärkt fühlen durch Haeckers gleichlautenden Glaubenssatz: «daß die Idee ihren vollen Sinn und Gehalt erst in der Verwirklichung durch die Tat erfahre»[125]. Zweifellos habe Haecker, so Inge Scholl, durch seine absolute Haltung, seinen reinen

Clemens August
Graf von Galen

Zorn und seine wiederkehrende Klage, was jetzt die Juden leiden wäre ein Auftrag der Christen, «großen Einfluß auf meine Geschwister und ihre Freunde gehabt, besonders auf Christoph Probst»[126].

Vorher schon, im Juni 1941, unmittelbar vor Beginn des Rußland-Feldzugs, hatte Willi Graf aus Polen an seine Schwester geschrieben: *Gerade das Christwerden ist vielleicht das allerschwerste, denn wir sind es nie und können es höchstens beim Tode ein wenig sein.*[127]

Angesichts all dieser Bekenntnisse ist man überzeugt, daß damals eine längerfristig gereifte moralische Entschlußkraft kühl und bedacht in den ungleichen Kampf gegangen ist, weit entfernt von spontaner Entrüstung oder edelmütiger Kopflosigkeit. Dafür spricht auch, wie noch zu zeigen ist, die Vorsicht der Hauptbeteiligten. Den Kreis der Mithandelnden und Mitwissenden hielten sie, sogar im vertrautesten Zirkel, äußerst begrenzt.

Jede Widerstandsbereitschaft, ehe sie ins Tätige umschlägt, erfährt einen auslösenden Anstoß. In unserem Fall deutet viel darauf hin, daß es die Predigten des katholischen Bischofs von Münster waren, die vervielfältigt in Deutschland umliefen. Clemens August Graf von Galen hatte am 3. August 1941 die Morde an den Geisteskranken angeprangert. «Noch hat Gesetzeskraft der (Mord-)Paragraph 211 des Reichsstrafgesetzbuches», hatte er vor den Gläubigen in der Sankt-Lamberti-Kirche erklärt und ihnen mitgeteilt, daß er bei der Staatsanwaltschaft, beim Landgericht Münster und beim Polizeipräsidenten Anzeige erstattet habe, «durch eingeschriebenen Brief»[128]. Einige Sonntage zuvor hatten die Gemeindemitglieder mit angehaltenem Atem ihren Bischof sagen hören, daß jeder deutsche Staatsbürger der Gestapo schutz- und wehrlos ausgeliefert sei und jederzeit gewärtig sein müsse, abgeholt und in Kellern oder Konzentrationslagern eingesperrt zu werden.

Mit so brutaler Deutlichkeit konnten in jener Zeit wohl einzig die Oberhirten kompakter katholischer Siedlungsgebiete öffentlich reden (was dennoch nur im Ausnahmefall geschah). Der Propagandaminister Goebbels mit zuverlässiger Kenntnis der Stimmungslage gestand ein, warum das Regime stillhielt: Andernfalls dürfte es «Münster und ganz Westfalen für die Dauer des Krieges abschreiben»[129]. In seinem Tagebuch steht der bezeichnende Zornessatz: «Man könnte vor Wut zerplatzen, wenn man sich vergegenwärtigt, daß wir heute keine Möglichkeit haben, die Schuldigen zur Rechenschaft zu ziehen.»[130] Im Gegenteil, die «Schuldigen» nötigten die Machthaber sogar, die publik gewordenen Massentötungen in der bisherigen Form aufzugeben. Nur in kleinerem Umfang wurde die «Euthanasie» fortgesetzt.

Wann gelangten die Predigten den Münchner Freunden zur Kenntnis? Ulrich von Hassell, wohnhaft nahe München, notierte schon Ende August 1941 seine Eindrücke von dieser «unerhört freimütigen Sprache»[131]. Freilich besaß er besondere Verbindungen und fand nicht erst, wie die Familie Scholl, durch Zufall Abschriften der sensationellen Kanzelauftritte im Briefkasten. Das geschah frühestens zum Jahresende 1941. Hans habe die Blätter «tief erregt» gelesen: *Endlich hat einer den Mut zu sprechen.* In nachdenklicher Betrachtung der Seiten habe er geäußert: *Man sollte einen Vervielfältigungsapparat haben.*[132]

Der Impuls in solchem Augenblick dürfte gewesen sein, Galens Texte selbst weiter verbreiten zu helfen. Im Fortgang der Überlegungen müßte diese Absicht sich dann verselbständigt haben: Wenn man schon einen hektographierten Aufschrei kursieren läßt, dann doch besser gleich mit eigenen Gedanken... Einvernehmen besteht darin, daß die ersten Flugblätter Gemeinschaftsentwürfe von Hans Scholl und Alexander Schmorell waren. Daran redigiert hat teilweise auch, nach eigener Aussage von 1947, Jürgen Wittenstein. Als Freund zunächst Alexanders gehörte er zu den Eingeweihten. Schon länger hatte ihn der Vorsatz angetrieben, «den nazistischen Irrlehren durch persönliche Aufklärung entgegenzuwirken».

Jürgen Wittenstein

Denn die Wirkung des Einzelnen auf den Einzelnen erschien uns damals die beste und sicherste zu sein.»[133]

Alex – «er besaß das meiste Taschengeld»[134] – beschaffte eine Schreibmaschine, Matrizen, Papier und, der Anklage zufolge, einen Vervielfältiger. Dieses letztere Gerät besorgt zu haben, hatte der Oberreichsanwalt zuvor schon Hans Scholl angelastet, da Hans und Sophie in ihren Verhören bestrebt gewesen waren, möglichst alles Belastende von anderen weg und auf sich zu ziehen. Bezeichnend dafür auch Hans' Selbstbezichtigung, er habe allein etwa hundert Abdrucke hergestellt, während die zweite Anklageschrift vom 8. April 1943 Alexander Schmorells Aussage festhält: «Zusammen mit Scholl stellte er dann 100 Abzüge eines Flugblattes her.»[135]

Systemfeindliche Schriften zu fertigen, erfordert einen Grad von Achtsamkeit, wie ihn normale Mietverhältnisse schwerlich gewährleisten, am wenigsten unter den vielen mißtrauischen Blicken in einer Diktatur. Hier

Manfred Eickemeyer

nutzten beide eine unverfängliche Arbeitsmöglichkeit: das Atelier des
Architekten Manfred Eickemeyer im Garten des Grundstücks Leopold-
straße 38a. Eickemeyer, der seine weitgehende Mitwisserschaft verschlei-
ern konnte und im dritten der Münchner Prozesse aus Mangel an Beweisen freigesprochen wurde, berichtete später: «Eines Morgens stand ein
junger Mann vor der Tür – es muß im März oder April [1942] gewesen
sein – und stellte sich als Scholl vor. Er war mir schon avisiert worden.
Mein Freund [Josef] Furtmeier und ich suchten nach jungen Leuten, mit
denen man über die Lage reden und die etwas machen konnten. Wir verstanden uns schnell, und ich erzählte ihm von meinen Erlebnissen in Kra-
kau im Generalgouvernement, von Erschießungen der SS von Polen und
Russen. Ich war dort Architekt und hatte ein Baubüro. Durch meine Bau-
tätigkeit kam ich auch auf den verschiedensten Lagerbaustellen herum
und habe gesehen, wie die Deutschen sich dort benommen haben...»[136]

Das Atelier wurde, nebenbei, eine beliebte Versammlungsstätte für Lese- und Diskussionsabende, zu denen die Wissenschaftler Muth, Haecker und Huber gehörten, auch der Soziologe Alfred von Martin, die Schriftsteller Werner Bergengruen und Sigismund von Radecki sowie, neben anderen der mittleren und älteren Generation, etliche der studentischen Freunde beiderlei Geschlechts. Sie alle einte die Ablehnung des nationalsozialistischen Systems.

Nach Herstellung des ersten Flugblattes an diesem abgelegenen Platz suchten die Verfasser sich Anschriften von Akademikern aus dem Telefonbuch, auch von Münchner Gastwirten, in der Hoffnung, «daß sie den Inhalt der Flugblätter weitererzählen würden»[137]. Den ersten von vier einander rasch folgenden Aufrufen verschickten sie in der zweiten Junihälfte, wenige Wochen nach Hans Scholls Bemerkung im Hause Mertens, eine Tat sei nötig, man könne sie *jetzt nicht mehr zurückhalten*[138].

Die Empfänger der «Flugblätter der Weißen Rose» werden über den Namen gerätselt haben. Wer späterhin bei der historiographischen Beschäftigung mit dem Münchner Widerstandskreis die Anklageschrift des ersten Prozesses las, glaubte die Antwort gefunden zu haben. Denn der Name der Widerstandsgruppe gehe «auf die Lektüre eines spanischen Romans mit dieser Überschrift zurück»[139]. Zwar gibt es keinen spanischen Roman unter solchem Namen, aber es lag nahe, an «Die weiße Rose» von B. Traven zu denken, veröffentlicht 1929. Das Handlungsmilieu etlicher seiner Romane mochte durchaus auf spanische Verfasserschaft schließen lassen, wenngleich dieser Mystifikateur seiner eigenen Lebensumstände immer Deutsch geschrieben hat.

Obwohl Hans Scholl die tragische Geschichte vom indianischen Eigentümer der Hacienda La Rosa Blanca in Mexiko kannte und schätzte[140], wird der geläufigen Deutung durch das Protokoll der Gestapo-Verhöre, das erst Anfang 1992 entdeckt worden ist, der Boden entzogen. Vor dem vernehmenden Beamten erklärte Hans Scholl: *Ich ging von der Voraussetzung aus, daß in einer schlagkräftigen Propaganda gewisse feste Begriffe da sein müssen, die an und für sich nichts besagen, einen guten Klang haben, hinter denen aber ein Programm steht. Es kann sein, daß ich gefühlsmäßig diesen Namen gewählt habe, weil ich damals unmittelbar unter dem Eindruck der spanischen Romanzen von Brentano «Die Rosa Blanca» gestanden habe.*[141]

Hieraus ist zunächst abzuleiten, daß die Anklageschrift durch irgendeinen Übermittlungsfehler aus «spanischen Romanzen» einen «spanischen Roman» gemacht hat. Dadurch wurde die spätere Forschung auf eine falsche Fährte gelenkt. Doch auch die im Vernehmungsprotokoll festgehaltene Auskunft ist wiederum mißverständlich; möglich, daß Teile der Aussage verkürzt wiedergegeben, daß der Protokollant eine erklärende

Zwischenbemerkung beiseite gelassen hat. Gemeint sein können doch wohl nur Clemens Brentanos «Romanzen vom Rosenkranz», entstanden als unvollendetes Versepos zwischen 1802 und 1812. Die ziemlich finstere Geschichte spielt im Hochmittelalter in Italien. «Spanisch» sind die vierhebigen Trochäen, die bei den deutschen Romantikern als Versmaß für Romanzen geschätzt waren, und spanisch ist ferner der Name eines in dieser Dichtung auftretenden Mädchens: Rosablanka.

Mit solchen Einschränkungen hinsichtlich des Titels und des Inhalts könnte gelten, daß der Name der Weißen Rose also nicht aus Mexiko stammt, sondern aus Bologna, nicht aus einer Schriftsteller-Werkstatt des 20., sondern des 19. Jahrhunderts. Ein Rest von Unklarheit, von Anheimstellen, bleibt ...

1942 war Hitlers Ansehen im deutschen Volk, anders als dasjenige vieler brauner Würdenträger («Goldfasane»), noch unerschüttert, trotz der vergangenen Winterkrise. Neue große Offensiverfolge ließen die Bedrängnisse, die ja die «Heimat» ohnehin nur bruchstückhaft erfahren hatte, halbwegs vergessen; schien es doch abermals unaufhaltsam vorwärts zu gehen. Im Mai wurde die Halbinsel Kertsch erobert und die Frühjahrsschlacht bei Charkow mit der Gefangennahme von 240 000 russischen Soldaten beendet. Der Weg zur Wolga und zum Kaukasus lag offen. Bald fiel auch die seinerzeit stärkste Festung der Welt, Sewastopol, nach langer Belagerung (4. Juli), nachdem Rommels Truppen in Libyen am 21. Juni die Verteidiger von Tobruk niedergekämpft hatten: ein ähnlich hochbewerteter Sieg. Deutsche U-Boot-Rudel umkreisten alliierte Geleitzüge, schossen zahlreiche Frachter und Tanker heraus und machten solche Konvoifahrten zu größten Mut- und Nervenproben. Selbst die amerikanischen Ostküstengewässer erlebten Panik. Die Sondermeldungen mit den Takten aus Les Préludes von Liszt ließen das Jahr 1942, mit dem weitesten Vorschieben der deutschen Machtgrenzen, noch einmal triumphal erscheinen.

In diese Situation stießen nun Flugblätter einer unbekannten Oppositionsgruppe mit einer äußerst kämpferischen, geißelnden Sprache von geradezu biblischem Zorn: psychologisch kein günstiger Moment. Wir wissen nicht, wie die Lektüre auf die Mehrzahl der Zufallsadressaten gewirkt hat, im Gegensatz zu den gezielt ausgesuchten Empfängern, deren Gegnerschaft den Absendern bekannt war. Erschrecken, ja Befremden könnten bei den anderen vorgeherrscht haben. Vom *Rachen des unersättlichen Dämons*, von der *Geißel der Menschheit* lasen sie im ersten Flugblatt. Derartige Formulierungen kehrten wieder: ...*diese abscheulichste aller Mißgeburten von Regierungen* (Flugblatt 2), *die Diktatur des Bösen*, *Ausgeburt der Hölle* (3), *die Macht des Bösen, der stinkende Rachen der*

Flugblätter der Weissen Rose.

I

Nichts ist eines Kulturvolkes unwürdiger, als sich ohne Widerstand von einer verantwortungslosen und dunklen Trieben ergebenen Herrscherclique "regieren" zu lassen. Ist es nicht so, dass sich jeder ehrliche Deutsche heute seiner Regierung schämt, und wer von uns ahnt das Ausmass der Schmach, die über uns und unsere Kinder kommen wird, wenn einst der Schleier von unseren Augen gefallen ist und die grauenvollaten und jegliches Mass unendlich überschreitenden Verbrechen ans Tageslicht treten? Wenn das deutsche Volk schon so in seinem tiefsten Wesen korrumpiert und zerfallen ist, dass es ohne eine Hand zu regen, im leichtsinnigen Vertrauen auf eine fragwürdige Gesetzmässigkeit der Geschichte, das Höchste, das ein Mensch besitzt, und das ihn über jede andere Kreatur erhöht, nämlich den freien Willen, preisgibt, die Freiheit des Menschen preisgibt, selbst mit einzugreifen in das Rad der Geschichte und es seiner vernünftigen Entscheidung unterzuordnen, wenn die Deutschen so jeder Individualität bar, schon so sehr zur geistlosen und feigen Masse geworden sind, dann, ja dann verdienen sie den Untergang.

Goethe spricht von den Deutschen als einem tragischen Volke, gleich dem der Juden und Griechen, aber heute hat es eher den Anschein, als sei es eine seichte, willenlose Herde von Mitläufern, denen das Mark aus dem Innersten gesogen und nun ihres Kernes beraubt, bereit sind in den Untergang hetzen zu lassen. Es scheint so - aber es ist nicht so; vielmehr hat man in langsamer, trügerischer, systematischer Vergewaltigung jeden einzelnen in ein geistiges Gefängnis gesteckt, und erst, als er darin gefesselt lag, wurde er sich des Verhängnisses bewusst. Wenige nur erkannten das drohende Verderben, und der Lohn für ihr heroisches Mahnen war der Tod. Ueber das Schicksal dieser Menschen wird noch zu reden sein.

Wenn jeder wartet, bis der Andere anfängt, werden die Boten der rächenden Nemesis unaufhaltsam näher und näher rücken, dann wird auch das letzte Opfer sinnlos in den Rachen des unersättlichen Dämons geworfen sein. Daher muss jeder Einzelne seiner Verantwortung als Mitglied der christlichen und abendländischen Kultur bewusst in dieser letzten Stunde sich wehren so viel er kann, arbeiten wider die Geisel der Menschheit, wider den Faschismus und jedes ähnliche System des absoluten Staates. Leistet passiven Widerstand - W i d e r s t a n d - wo immer Ihr auch seid, verhindert das Weiterlaufen dieser ateistischen Kriegsmaschine, ehe es zu spät ist, ehe die letzten Städte ein Trümmerhaufen sind, gleich Köln, und ehe die letzte Jugend des Volkes irgendwo für die Hybris eines Untermenschen verblutet ist. Vergesst nicht, dass ein jedes Volk diejenige Regierung verdient, die es erträgt!

Aus Friedrich Schiller, "Die Gesetzgebung des Lykurgus und Solon":

"....Gegen seinen eigenen Zweck gehalten, ist die Gesetzgebung des Lykurgus ein Meisterstück der Staats- und Menschenkunde. Er wollte einen mächtigen, in sich selbst gegründeten, unzerstörbaren Staat; politische Stärke und Dauerhaftigkeit waren das Ziel, wonach er strebte, und dieses Ziel hat er so weit erreicht, als unter seinen Umständen möglich war. Aber hält man den Zweck, welchen Lykurgus sich vorsetzte, gegen den Zweck der Menschheit, so muss eine tiefe Missbilligung an die Stelle der Bewunderung treten, die uns der erste, flüchtige Blick abgewonnen hat. Alles darf dem Besten des Staates zum Opfer gebracht werden, nur dasjenige nicht, dem der Staat selbst nur als ein Mittel dient. Der Staat selbst ist niemals Zweck, er ist nur wichtig als eine Bedingung, unter welcher der Zweck der Menschheit erfüllt werden kann, und dieser Zweck der Menschheit ist kein anderer, als Ausbildung aller Kräfte des Menschen, Fort-

Das erste Flugblatt der Weißen Rose (Vorderseite)

Hölle, die dämonischen Mächte (4). Zum Bildsinn und Sprachklang solcher Verdammungen passen die Sätze im vierten Blatt: *Es ist die Zeit der Ernte, und der Schnitter fährt mit vollem Zug in die reife Saat. Die Trauer kehrt ein in die Hütten der Heimat, und niemand ist da, der die Tränen der Mütter trocknet.*

Zweifelhaft, daß den Verfassern bewußt war, wie sehr ihr Duktus die Sprache gottgesandter Heimsuchungen ist: ob im Alten Testament oder in der Offenbarung Johannis; wie er auch Luthers Worteschleuder wider die «Papisten» ähnelt. Solche Abhängigkeiten werden gewöhnlich nur von außen erkannt. Jedenfalls ist die religiöse Seite unter den Anstößen zum Widerstand – damit zugleich die Einflußnahme der theologischen Mentoren Muth und Haecker – an den zitierten Wendungen besonders einsehbar. Der handelnde, gegenwärtige, eingreifende Gott, der Theismus in den Kampfschriften, tritt dem Leser wiederholt entgegen. Der Mensch solle *nach Gottes Willen* frei und unabhängig sein irdisches Glück zu erreichen suchen (3. Flugblatt); im vierten: zu allen Zeiten seien Menschen aufgestanden, *die auf den Einzigen Gott hinwiesen und mit seiner Hilfe das Volk zur Umkehr mahnten*; oder: *Hat Dir nicht Gott selbst die Kraft und den Mut gegeben zu kämpfen?*

Einwenden läßt sich, daß die apokalyptisch eingefärbte Redeweise über Bosheit, Hölle und Dämonie sich von real faßbaren Staatszuständen und konkreter politischer Auseinandersetzung ins Kontur- und Wesenlose verflüchtige. Das lichte Gegenbild der Finsternis ist religiös gerahmt: *Der Staat soll eine Analogie der göttlichen Ordnung darstellen, und die höchste aller Utopien, die civitas Dei, ist das Vorbild, dem er sich letzten Endes nähern soll.* (3) War eine Anleihe an augustinische Denkkategorien, somit an einen bewußt tatsachenungebundenen Zukunftsentwurf, im Jahre 1942 hilfreich und erhellend? Die Antwort, ob befriedigend oder nicht, ist zweigeteilt: *Man kann sich mit dem Nationalsozialismus geistig nicht auseinandersetzen, weil er ungeistig ist* (2); und: *Alle idealen Staatsformen sind Utopien.* (3) Schiller könnte hier einwerfen, schnell fertig sei die Jugend mit dem Wort. Jedenfalls haben wir hinzunehmen, daß eine Totalabsage vorliegt, die einzig das Ende des gegenwärtigen Staates ersehnt und *hier nicht urteilen* will *über die verschiedenen möglichen Staatsformen* (3).

Bleibt zwar der erwünschte Typus des nach-nazistischen Gemeinwesens äußerlich unscharf, so doch nicht innen: *...jeder einzelne Mensch hat einen Anspruch auf einen brauchbaren und gerechten Staat, der die Freiheit des einzelnen als auch das Wohl der Gesamtheit sichert.* (3) Das öffentliche Wohl habe das höchste Gesetz zu sein, hat Cicero gepredigt: *Salus publica suprema lex.* Dieses Motto ist dem dritten Flugblatt vorangestellt.

Der altehrwürdige Lehrsatz stellt dem staatlich gefesselten Recht den rechtlich gebändigten Staat gegenüber. Der Idealismus des flammenden Zorns entwirft hier nur die allgemeinsten Richtwerte: wie es einmal wieder sein solle. Jetzt ist ihm wichtiger zu zeigen, auf welche Weise jeder Willige beitragen könne, schneller dorthin zu kommen. *Leistet passiven Widerstand … wo immer Ihr auch seid, ehe die letzten Städte ein Trümmerhaufen sind, gleich Köln, und ehe die letzte Jugend des Volkes irgendwo für die Hybris eines Untermenschen verblutet ist.* (1)

Den passiven Widerstand fordert ebenso das dritte Flugblatt, wobei eine Beispielsammlung von Sabotagehandlungen geliefert wird. Sabotage wird im gewöhnlichen Sprachgebrauch meistens aktiv-zerstörerisch verstanden, während sie hier wohl nur unterlassend gemeint ist: jeden Beitrag zu vermeiden, der die Diktatur verlängern helfe. *Ein Ende muß diesem Unstaat möglichst bald bereitet werden – ein Sieg des faschistischen Deutschland in diesem Kriege hätte unabsehbare, fürchterliche Folgen.* (3)

Die Furchtvision hatte die Logik für sich. Was erst würde die Zukunft bringen, wo schon heute das Verbrechen wütet? In diesem Punkt besaßen die Wegbereiter der Weißen Rose einen Wissensvorsprung gegenüber den meisten Zivilisten im Lande. Eickemeyer hatte ihnen hinreichend Einblick verschafft, wie es im Sklavenstaat Polen zuging, nicht nur gegenüber «minderrassigen» Slawen. Daraus rührte gleich zu Beginn der ersten Flugschrift die allgemeingefaßte Formulierung von *grauenvollsten und jegliches Maß unendlich überschreitenden Verbrechen*, wobei unseren jungen Rechts-Anwälten nur die Denkungenauigkeit unterlief, daß es maßvolle Verbrechen nicht gibt. Die zweite geflügelte Botschaft ergänzt, *daß seit der Eroberung Polens dreihunderttausend Juden in diesem Land auf bestialischste Art ermordet worden sind.*

Genaue Zahlen dürften nur in den Chefetagen der SS gehandelt worden sein. Alle übrigen konnten allenfalls spekulieren. Im Frühsommer 1942 lag die Wannsee-Konferenz über die «Endlösung der Judenfrage» ein knappes halbes Jahr zurück. Der organisierte Holocaust nahm Gestalt an; der unorganisierte hatte schon seit dem Juni 1941 in Westrußland und im Baltikum für «Erfolgsmeldungen» in einem Ausmaß gesorgt, daß die Wirklichkeit über den Kenntnisstand der Nachtarbeiter im Atelier Eickemeyer nur spotten konnte. Auf Polen bezogen, mögen ihre Angaben gerade noch, aber wahrlich nicht mehr lange, tatsachengerecht gewesen sein. Eben jetzt, im Juni 1942, begannen die «Selektionen» auf der Rampe von Auschwitz; Lager wie Belzec, Maidanek, Sobibor «arbeiteten» schon …

Am 9. Juni 1942 erklärte Heinrich Himmler in einer Geheimrede vor SS- und Polizei-Führern in Berlin: «Die Völkerwanderung der Juden werden wir in einem Jahr bestimmt fertig haben; dann wandert keiner

«Selektion» in Auschwitz

mehr.» Und am 6. Oktober 1943 vor Reichs- und Gauleitern in Posen: «Es mußte der schwere Entschluß gefaßt werden, dieses Volk von der Erde verschwinden zu lassen ... Man wird vielleicht in ganz später Zeit sich einmal überlegen können, ob man dem deutschen Volke etwas mehr darüber sagt. Ich glaube, es ist besser, wir haben das für unser Volk getragen ... und nehmen dann das Geheimnis mit in unser Grab.»[142]

Die Interpretation herausgehobener Einzelheiten ersetzt nicht die Lektüre der Flugblätter, doch einiges sei noch angemerkt. Die Verfasser ehrten ihre Mentoren nicht zuletzt mit den vielen Denker- und Dichter-Anleihen, von Aristoteles und Laotse bis zu Goethe, Schiller und Novalis. Denn in der Zeitschrift «Hochland» war es bewährte Methode gewesen, «Widerstand in Zitaten»[143] zu leisten.

Die verwandte Art der Zubereitung dürfte den Mentoren Muth und Haecker verraten haben, daß die Blätter in ihrem geistigen Umfeld entstanden waren; möglicherweise trafen sie gleich ins Schwarze. Ähnlich kombinierte eine Kommilitonin, Traute Lafrenz, nachdem ihre Wirtsleute die erste Folge der «Weißen Rose» mit der Post zugeschickt bekommen hatten. «Aus Text, Art des Satzbaus, bekannten Stellen aus Goethe, Laotse erkannte ich sofort, daß das Blatt von ‹uns› verfaßt sein mußte,

Traute Lafrenz

war aber noch im Zweifel, ob Hans selber es getan.»[144] Erst «in einer der nächsten Folgen» habe sie an einem Zitat aus dem Prediger (Salomo), das sie ihm einmal gegeben habe, erkannt, «daß er selber der Verfasser sein mußte»[145].

Die Medizinerin Traute Lafrenz hatte sich nach einem Studienortwechsel von Hamburg nach München mit Hans Scholl befreundet. Beide waren einander in jenem Bach-Konzert begegnet, das in einem Brief vom 14. Mai 1941 für die «nächste Woche» vorgemerkt stand.[146] Trotz ihrer inzwischen engen Beziehung zeigte Hans sich auf die direkte Frage nach dem Urheber zugeknöpft. Mitwissen gefährde diesen nur. Die Zahl der direkt Beteiligten müsse ganz klein bleiben. «Dabei blieb es. Mir war damit mein Platz zugewiesen, ich nahm ihn an. Sorgte, daß die Blätter weiter verbreitet wurden.»[147]

Wir gehn ohne Ende von Hand zu Hand,
wir schüren die heimlichen Brände im Land
und werden gelesen, gelesen.[148]

Schneller als Traute Lafrenz war Sophie Scholl den Verfassern auf die Spur gekommen. Kaum daß Abzüge des ersten Blattes an der Universität weitergereicht worden waren, hatte sie auf dem Arbeitstisch ihres Bruders einen Band Schiller entdeckt, mit einem verräterischen Lesezeichen zwischen den Abschnitten über die Gesetzgebung des Lykurgos und Solon. Da fiel ihr auch wieder die Bemerkung Schillers ins Auge, die sie zuvor mit eiligem Blick aufgenommen: *Der Staat selbst ist niemals Zweck, er ist nur wichtig als eine Bedingung, unter welcher der Zweck der Menschheit erfüllt werden kann.* Ein Augenblick eisigen Wiedererkennens und stechender Bewußtheit ... Die Fragestellerin wird knapp beschieden. *Man soll heute manches nicht wissen, um niemanden in Gefahr zu bringen.*[149] Sophie spricht geängstigt von der umheimlichen Macht, gegen die er kämpfe (von Mitkämpfern weiß sie nichts). *Allein kommst du gegen sie nicht an.*[150] Hans bleibt unerbittlich, obwohl «überführt»; Aufhören kommt nicht in Frage, Mithelfen läßt er nicht zu – noch nicht.

München in seinem akademischen Milieu ist angesichts dieser abrechnenden Regimekritik aus dem Dunkel untergründig erregt. Doch nach dem vierten Flugblatt tritt Schweigen ein. Hat man die Widerständler gefaßt? Wohl kaum; das hätte sich herumgesprochen oder wäre der Abschreckung wegen bekannt gemacht worden. Also müssen andere Gründe vorliegen. So haben die Empfänger des letztversendeten Aufrufs ausgiebig Zeit, über den Schlußsatz zu raten und nachzudenken: *Wir schweigen nicht, wir sind Euer böses Gewissen; die Weiße Rose läßt Euch keine Ruhe!*

Dramenpause

Das Wissen vom Gewalttod der Studenten erschwert eine unbefangene Betrachtung ihres Alltagslebens. Die Kampfbereitschaft und Untergrundarbeit verstellen leicht den Blick dafür, daß es in der ihnen verbliebenen Zeit auch noch anderes gab als die Auflehnung gegen den Zwangsstaat und die unentwegte Beschäftigung mit ihm. Am Rande des scheinbar schnurgerade ins Märtyrertum führenden Weges liegen Rastplätze, und dort geht es unterhaltsam und kurzweilig zu. *... oh ja, es ist eine Wonne, ein Mensch zu sein*[151], dieser briefliche Ausruf des zweiundzwanzigjährigen Hans Scholl gegenüber seiner Freundin Rose Nägele im Februar 1941 könnte wie ein Leitmotiv über dem ganzen Zeitraum stehen, nicht anders als Sophies Ausbruch aus der Umklammerung: *...ich will mir meinen Mut durch nichts nehmen lassen ... wo ich ganz andere unantastbare Freuden besitze.*[152] Die Sätze können für alle übrigen Beteiligten des Münchner Kreises gelten. Sie waren zum Opfer fähig und bereit, aber sie liebten das Leben und genossen nach Kräften seine Annehmlichkeiten, soweit der Krieg es zuließ.

«Hans dachte im Sprechen. Er war eine rhetorische Existenz, eine dialogische und eine dialektische. Einsichten gewann er wie ein sich drehender Scheinwerfer auf einem Leuchtturm. In der Unstetigkeit und dem Widerschein gewann er seine Einsichten. Diese Einsichten waren eindeutig, aber nicht prinzipiell. Er war ein homme de lettres. Und wenn er nicht schrieb, las er, auch das als Dialog, und wenn er nicht las, war er in Gespräche verwickelt. Immer ausstrahlend, immer aufnehmend. Bei dieser Technik war er immer Mittelpunkt, auch wenn er nicht wollte. So wie er ausgab, sammelte er ein.»[153]

Jemand, der so beschaffen, ist niemals nur auf das fixiert, was er verabscheut und zu ändern helfen will, sondern er gibt vielerlei Dingen Raum in seiner Existenz. Literatur und Musik beanspruchten Zeitanteile und ungespaltene Zuwendung, und die Natur verlangte von ihren Liebhabern mehr als nur aufmerksames Wahrnehmen der wechselnden Jahreszeiten. Hans stopfte in den überfüllten Tagesplan vom Dezember 1941 an noch einen Russisch-Kurs, wohl, um hierin entfernt Anschluß an seinen Freund Alex zu gewinnen. Bei aller Vielfalt und Abwechslung fehlten nicht die gastronomischen Vergnüglichkeiten. Die «Bodega» und das «Lombardi» (wo es noch für nur wenige Lebensmittelmarken Essen und Wein gab[154]) gehörten zu den bevorzugten Gaststätten des Kreises.

Gleich nach ihrer Ankunft in München hatte Sophie den Frohsinn der Runde kennengelernt. An ihrem 21. Geburtstag gingen sie zusammen in den Englischen Garten und zogen eine Weinflasche an einer langen Schnur durch den Eisbach, um sie zu kühlen. *Schaut euch doch den Mond an, groß und goldgelb wie ein gut geratenes Spiegelei. Wir müssen ihn genießen*[155] – dieser unwiderstehlichen Einladung Alexanders, des Ältesten unter ihnen, waren sie gefolgt, und nun begann er, zu seiner Balalaika zu singen.

Aus den hinterlassenen Blättern und verschiedener Zeugenschaft spricht eine Intensität des Daseins, die zu ahnen schien, daß es kurz bemessen war. Das «Nebenbei» war so vielfältig, daß der Leser die alltägliche Hauptsache: Klinikalltag und Studiengang, fast vergißt. Und daß der Duft der Weißen Rose sich zeitweilig ganz verlor, lag an der Dramenpause, die der Regisseur «Krieg» zwischen die ersten und letzten Akte legte.

Am 15. Juli 1942 trug Willi Graf ins Tagebuch ein: *Es wird zur Tatsache, daß wir im Osten famulieren, und das ist schließlich ein Schlag.*[156] Gerade er, der erst im April von dort gekommen war, mußte sein Studium nach nur einem klinischen Semester schon wieder unterbrechen. Außerdem bezweifelten die jungen Mediziner in der Studentenkompanie, daß sie zum Wintersemester, wie zugesagt, wieder zurück sein würden.

22. Juli: *Am Abend im Atelier, was sollen wir tun? Bis in die Nacht hinein.*[157] Mit dieser allerknappsten Notiz hält Willi Graf die letzte Zusammenkunft im größeren Kreis vor dem Abtransport fest. Sie wurde Gegenstand vieler Darstellungen, und sogar die Anklageschrift gegen Schmorell, Huber, Graf und andere erwähnt dieses Treffen bei Eickemeyer: «Es war eine schöngeistige Unterhaltung im Gange, jedoch kam man bald auch auf die Politik zu sprechen. Dabei war die Meinung vorherrschend, daß der Krieg für Deutschland verloren sei, und es wurde die Frage er-

Juli 1942, Münchner Ostbahnhof: Sophie Scholl verabschiedet ihren Bruder (in der Dreiergruppe hinten), Alexander Schmorell (ganz rechts) und Hubert Furtwängler (links, mit verschränkten Armen), die an die Ostfront müssen

örtert, ob man gegen den Nationalsozialismus gerichtete Plakate herstellen solle ...»[158]

Von den Aktionen der Weißen Rose – wie sie nach der Rückkehr fortzusetzen seien – dürfte entgegen manchen Ausführungen in der Gedenkliteratur an diesem Abend nichts verlautet sein; wie anders wäre zu erklären, daß Kurt Huber nach Auskunft seiner Frau erst im Herbst erfuhr, wer die Verfasser der bisherigen Flugblätter waren? Allerdings wurden allgemeine Formen der Gegenwehr diskutiert, wobei Alexander sich zu passivem Widerstand bekannte. Huber unterstützte die Ansicht insoweit, als offener Widerstand unmöglich sei; der passive allein aber reiche nicht aus. Er trat für Sabotage in jeder Form ein und sogar für Attentate. Der Professor ist nach den Worten seiner Schülerin Katharina Schüddekopf an diesem Abend «ganz außer sich geraten»[159].

Bei solchen atmosphärischen Eindrücken drängt sich auf: Nur noch wenig trennte Hans Scholl und Alexander Schmorell von konspirierender Kontaktnahme zu Kurt Huber. Ohne das russische Intermezzo wäre

Sophies Lachen ist einer ernsten Miene gewichen

sie wohl schon bei allernächster Gelegenheit zustande gekommen. Einstweilen aber wußte der Philosoph ebenfalls nichts anderes, als was die beunruhigten bayerischen Behörden über aufgefangene Flugblätter aktenkundig machten: «Der Inhalt der Druckschriften ist im hohen Grade staatsfeindlich... Der Verfasser konnte noch nicht festgestellt werden. Die Staatspolizeileitstelle München ist verständigt.»[160] Deren Ermittlungen verliefen ebenso ergebnislos. Allerdings gelang es der Gestapo, die Herkunft der gefährlichen Blätter einzukreisen. «Verschiedene Umstände», so der Kriminalobersekretär Robert Mohr im Jahre 1951, «deuteten darauf hin, daß die Verfasser in München zu suchen sein werden, nähere Anhaltspunkte fehlten jedoch vorerst.»[161]

Nun, mittlerweile waren die Verfasser ganz woanders zu suchen. Unterwegs nach Rußland sammelten sie Eindrücke, die geeignet waren, das Wissen vom eigenen Regime aufs schauerlichste zu bestätigen. Als die Mediziner am 26. Juli 1942 in Warschau das überfüllte und ausgehungerte Ghetto besuchten, war dort seit fünf Tagen die «Aktion» im Gange, wie das damalige jüdische Kind Janina David später die Vorgänge nannte: «Soweit den Plakaten zu entnehmen war, sollten 6000 Juden pro Tag

im Osten ‹angesiedelt› werden», durch Brot und Marmelade zum Umschlagplatz gelockt. Hundert in jedem Viehwaggon, «so fuhren sie ab und
wurden nie wieder gesehen»[162]. Ihre Endstation hieß Treblinka. Willi
Grafs Tagebuch: *Am Spätnachmittag gehen wir in die Stadt. Das Elend
sieht uns an.*[163]

Auch andere Erlebnissplitter auf der Fahrt, sowohl hinwärts wie heim-
wärts, passen ins Muster «Deutschlands Herrschaft im Osten». So notierte derselbe Chronist der kurzen Tageseindrücke: *Fast hätte es Krach gegeben, weil wir den russischen Kriegsgefangenen Zigaretten schenkten.*[164]
Alexander geriet um ein Haar in die Maschinerie der Feldjustiz, weil er
einen deutschen Wachtposten, der einen Gefangenen wegen einer Klei-
nigkeit blutig geschlagen, zur Rede gestellt hatte. Nach Auskunft des gemeinsamen Freundes Hubert Furtwängler[165] verwickelte sich Hans Scholl
wegen eines ähnlichen Spontanprotests gegen Mißhandlung in einen «gefährlichen Streit» mit mehreren Unteroffizieren, die ihn ungeachtet seines Feldwebel-Rangs, also höheren Dienstgrads, in eine üble Lage bringen konnten. Bei einem Halt auf einer polnischen Bahnstation sahen die
Studenten Jüdinnen mit gelbem Stern schwere Gleisarbeiten verrichten.
Hans steckte einem schönen jungen Mädchen, das abgezehrt wirkte, sei-

Hans und Sophie Scholl; rechts Christoph Probst, der daheimbleiben konnte

Im Warschauer Ghetto

ne «Eiserne Ration» zu. Die Zwangsarbeiterin schleuderte sie ihm vor die Füße. Er pflückte eine Margerite und legte sie samt dem Päckchen vor ihr hin. Als der Zug weiterrollte, sah er die Blume in ihrem Haar...[166]

Das Vierteljahr Feldfamulatur dicht hinter dem Frontbereich von Rschew und Gschatsk bei der Heeresgruppe Mitte hebt sich merkwürdig unbeschwert, ja streckenweise idyllisch nicht allein von den niederdrückenden Fahrterlebnissen ab, sondern auch von der nervösen Gefechtslage im nahen Umfeld. Die Freundesgruppe, ohne den daheimgebliebenen Christoph Probst eingesetzt zur Verwundeten-Erstversorgung bzw. zur Krankenpflege auf Seuchenstationen, lebte in einer friedlichen Enklave zwischen Front und Hinterland, zwischen dem offenen Krieg vorn und dem versteckten, dem Partisanenkampf, im Rücken. *Neulich habe ich mich mit einem Fahrdienstleiter unterhalten. In seinem Bereich haben sie innerhalb 8 Tagen 48 Züge gesprengt... Und Tag für Tag und Nacht für Nacht landen hinter der Front* russische *Fallschirmtruppen* (Hans Scholl am 7. August 1942 an die Eltern).[167] Bei der Münchner Studenten-Einheit aber: nichts von alldem, statt dessen Mitteilungen wie diese vom selben Absender: *Ich kenne einen alten ergrauten Fischer, diesen habe ich zum Freund. Oft sitzen wir vom frühen Morgen bis zum Sonnenuntergang am Ufer eines Flusses und fischen wie Petrus zu Christi Zeiten. Außerdem habe ich hier im Lager mit Kriegsgefangenen und einigen russischen Mädchen einen Chor zusammengestellt. Neulich haben wir die halbe Nacht durchtanzt, daß uns am nächsten Tag die Knochen schmerzten.*[168]

Solche fraternisierende Kurzweil deckte sich nicht ganz mit den nationalsozialistischen Vorstellungen von deutschem Herrentum und der nur zum Helotenwesen taugenden slawischen Minderrasse; wobei leider anzufügen ist, daß die Gegnerseite umgekehrt die Verbrüderung mit den «faschistischen» Eindringlingen später sehr verübelt und mindestens mit Lagerhaft geahndet haben könnte. Zweierlei begünstigte das sorglose Zuwiderhandeln der Famuli: die geringe zeitliche Inanspruchnahme – vermutlich, weil sie als kurzzeitige Helfer im eingefahrenen Routinebetrieb, hier wie überall, nur als hinderlich angesehen wurden – und das Gewährenlassen von seiten großzügiger Vorgesetzter, die den Parteigeist nicht bis in Frontnähe vordringen ließen. Peter Bamm, der Kollege Stabsarzt, gibt in der «Unsichtbaren Flagge» viele Beispiele für den weltanschaulichen Freiraum der «Sanität».

Es wird kühl, die Mädchen singen zur Gitarre, wir versuchen die Bässe zu summen. Es ist schön so, man spürt Rußlands Herz, das wir lieben (Tagebuch Willi Graf).[169] Sie kamen durch Alexanders dolmetschende Hilfe dem russischen Herzen natürlich näher, als es ihnen mangels Sprachkenntnissen, die sie beklagten, normalerweise und erst recht unter Kriegsbedingungen möglich gewesen wäre. Hans Scholl vertiefte immer-

In Rußland: Furtwängler, Scholl, Graf, Schmorell

hin sein Vorwissen aus München, Willi arbeitete sich durch die Anfangs-
gründe im Lehrbuch und las Dostojevskij, von dem Hans erklärte, er be-
greife ihn hier. Alexander fühlte sich in seiner Geburtsheimat ganz und
gar zu Hause und war berauscht von seinem außerdienstlichen Erleben.
*Wir gehen abends zu den Russen und trinken Schnaps mit ihnen und sin-
gen* – so Hans Scholl an Kurt Huber[170], der sich den Kriegseinsatz seiner
jungen Anhänger wohl etwas anders vorgestellt haben mag.

Ein Schatten fiel auf die Behaglichkeit, als Robert Scholl zu vier Monaten Gefängnis verurteilt wurde. Er war von einer Angestellten seines Büros denunziert worden, weil er Hitler eine «große Gottesgeißel» genannt
und hinzugefügt hatte: «Wenn er nicht bald Schluß mit dem Krieg macht,
werden in zwei Jahren die Russen in Berlin stehen.»[171] Der Verurteilung
folgte das Berufsverbot. Die Mutter bat die Söhne in Rußland, die nicht
weit voneinander entfernt lagen, um Gnadengesuche, die von der Front
her mehr Gewicht haben könnten. Der Ältere schrieb in sein Tagebuch:
*Ich werde dies unter keinen Umständen tun. Ich werde nicht um Gnade
bitten. Ich kenne den falschen, aber auch den wahren Stolz.*[172] *Wir müssen
das anders tragen als andere. Das ist eine Auszeichnung*[173], betonte er seinem Bruder gegenüber, den er zu Pferde aufsuchte, den Bescheid aus
Ulm in der Hand.

Traurig fügte sich zu dem einen Unglück ein anderes. Inge Scholls

Freund Ernst Reden, früher mit Hans aktiv in der Ulmer Jugendgruppe «d. j. 1. 11.», dafür monatelang in Haft, sogar in einem KZ, ein literarisch höchst anregender Geist, fiel in Rußland. Die Nachricht traf einen Tag vor Robert Scholls Haftbeginn ein. Sophie, die während der Semesterferien in einem Ulmer Rüstungsbetrieb arbeiten mußte – *eine schrecklich seelen- und lieblose Beschäftigung, den ganzen Tag an der Maschine die ewig glei- che Bewegung zu machen*[174] –, erlebte den Eingang der Nachricht an diesem vorletzten August-Sonntag im Elternhaus. Ihre Freundin Lisa Remppis findet Sophie nach einer Weile an einem Fenster stehend, wo sie «in einer fast feierlichen Entschlossenheit» erklärt: *Schluß. Jetzt werde ich etwas tun.* Und bei anderer Gelegenheit: sie *werde diesen Tod rächen*[175].

Die russisch-deutschen Traulichkeitsszenen bei Gschatsk fanden ihren ernüchternden deutsch-russischen Gegensatz in der Ulmer Fabrik. *Ne- ben mir arbeitet eine Russin, ein Kind in ihrem arglos rührenden Vertrauen selbst den deutschen Vorarbeitern gegenüber, deren Fäusteschütteln und brutalem Geschrei sie nur ein nicht verstehendes, beinahe fröhliches La- chen entgegensetzt. Wahrscheinlich muten sie diese Menschen komisch an, und sie hält ihre Drohungen für Spaß. Ich freue mich, daß sie neben mir arbeitet, und versuche, das Bild, das sie von den Deutschen erhalten könn- te, ein bißchen zu korrigieren. Aber auch viele der deutschen Arbeiterin- nen erweisen sich freundlich und hilfreich, erstaunt darüber, auch in den Russen Menschen vorzufinden...*[176]

Die Fabrikarbeit endete für Sophie einen Monat eher als für ihren Bru- der und seine Gefährten die Famulatur. Ob im Osten in der relativ unbe- schwerten Stimmung über weitere Vorhaben der Weißen Rose gespro- chen, vor allem: ob Willi Graf schon mit ihnen vertraut gemacht und ge- danklich in sie hineingezogen wurde, erscheint fraglich. Für diese Zweifel spricht eine Briefstelle Ende September, er müsse *leider* zum Studium in München bleiben. Er, der immer Freundesnähe suchte, aber selbst inmit- ten von Freunden über Einsamkeit klagte, würde sich demnach auch aus diesem Kreis wieder gelöst haben, wenn er gekonnt hätte. Das deutet dar- auf: Er war noch nicht eingeweiht.

Am 30. Oktober 1942 notierte er in der «Frontsammelstelle»: *Alex ist durch den Abschied sehr mitgenommen.*[177] Eingehender und ausführen- der sagte Alexander es selber, in einem späteren Brief: *Ein Fischer, der weit, weit drüben in meiner fernen Heimat sitzt, hat seine Angel tief in mei- ne Brust geworfen. Und je weiter ich mich von meiner Heimat, von jenem großen Land entfernte, desto stärker zog der Fischer an seiner Schnur, de- sto weher tat es mir in meiner Brust... Es war das die schönste, reichste Zeit meines Lebens gewesen – diese drei Monate, sie erschienen mir lang, wie ein ganzes Leben. Wie waren sie reich! Jetzt lebe ich nur von Erinnerun- gen und von Hoffnung an eine baldige Rückkehr – für immer...*[178]

31.VIII. plötzlich ist es sehr kühl geworden, aber zum mittag scheint doch die sonne. ich habe eine menge zu tun, doch ich tue es ohne freude. mittags wieder die ...sprechstunde die dreimal in der woche ist und mir allmählich langweilig wird.

so verging dieser monat rasch, ohne sensationen. wichtig daran ist jedenfalls, für diese zeit, daß ich mit den drei leuten zusammen bin. ich stelle mir vor, daß dies für die nächste zeit seine bedeutung hat. der sommer ist nun wohl zu ende, rasch wird der herbst kommen. was bringen die nächsten wochen?

1.IX. am morgen überrascht uns die nachricht, daß wir ausgetauscht werden: ...bert und ich kommen in 1. u. 461, hans und alex bleiben wohl. es eilt uns aber ... mit dem wegkommen wir bereiten uns auf den abschied vor.

Aus dem Tagebuch Willi Grafs, 31. August/1. September 1942

Der Kampf weitet sich aus

Als von den Fließbändern der Witzefabrikanten die Frage in Umlauf kam, woraus die neuen Stoffe bestehen («aus den Hirngespinsten des Führers, dem Geduldsfaden des Volkes und den Lumpen der Partei»), wurde feldgraues Tuch schon bis zur Wolga geliefert. «... ein gigantischer Umschlagplatz. Den wollte ich nehmen und, wissen Sie, wir sind bescheiden, wir haben ihn nämlich!»[179] Als Hitler dies am 8. November 1942 am Ort seines mißglückten Putsches von 1923 vor den Alten Kämpfern verkündete, war er den Tatsachen leichtsinnig ein Stück vorausgeeilt. Die Antwort der Sowjets auf diesen Vorwitz ist bekannt. Ehe noch die 6. Armee die letzten Gebäudekomplexe am Strom erobert hatte, schloß die Rote Armee als gelehriger Schüler deutscher Kesselstrategie die Sechste in großer Umfassungsbewegung ein und ließ sie dann mit Hilfe von Hitlers Ausbruchsverbot in zehnwöchiger Belagerung unter immer engerem Würgegriff qualvoll sterben. Stalingrad zählt zu den großen Tragödien der Geschichte, und in solchen Momenten verstummt der Vorwurf, daß ja der ganze Ostkrieg ein Verbrechen und dies nur eine der Folgen war.

Die Sanitätskompanie war gerade seit zwei Tagen wieder in München, als ihr Oberster Befehlshaber seine denkwürdige Falschmeldung verbreitete. Sophie unterrichtete Fritz Hartnagel von der Rückkehr, aber ihre Freude war bezeichnenderweise gespalten; sie spürte, daß damit die bedrückende Gegenwart wieder verstärkt von ihr Besitz nehmen werde. Sie suchte diesen Dunstkreis und saß zugleich gefangen darin. *Wann endlich wird die Zeit kommen, wo man nicht seine Kräfte und all seine Aufmerksamkeit immer nur angespannt halten muß für Dinge, die es nicht wert sind, daß man den kleinen Finger ihretwegen krümmt. Jedes Wort wird, bevor es gesprochen wird, von allen Seiten betrachtet, ob kein Schimmer von Zweideutigkeit an ihm haftet. Das Vertrauen zu anderen Menschen muß dem Mißtrauen und der Vorsicht weichen. O es ist ermüdend und manchmal entmutigend.*[180] Schon früher war ihr einmal ein Vergleich von drastischer Bildkraft in die Feder geraten: *Manchmal bin ich versucht, die Menschheit als eine Hautkrankheit der Erde zu betrachten.*[181]

Die Selbstzeugnisse der Mitglieder der Weißen Rose lassen nicht erkennen, daß die Tragödie nach der Dramenpause dem Höhepunkt im vierten Akt entgegentrieb. Läse man nicht mit erhöhter Aufmerksamkeit darin, seit die Handlung wieder nach München verlegt war, dann würden die wenigen zurückhaltend andeutenden Brief- und Tagebuch-Sätze fast überlesen werden. Hans Scholl am 22. November 1942 an Rose Nägele: *Ich habe in diesen Wochen eine größere Aufgabe empfangen, wovon meine Gedanken selten loskommen. Ich hätte Dir gerne davon erzählt, wenn ich mit Dir allein gewesen wäre.*[182] Otl Aicher erfuhr in der ersten Dezember-Woche: *Ich habe hier einen Kreis Menschen um mich, an dem Du Deine Freude hättest. Und es wäre eine schöne und verlockende Aufgabe, einen solchen Kreis zu erweitern und immer mehr zu vertiefen, wenn nicht gegenwärtig dringendere Aufgaben vor der Türe stünden.*[183]

Von Sophie ist schriftlich gar nichts zu erfahren, nur Willi Graf vermerkte am 2. Dezember: *Bei Hans sitzen wir spät und lange zusammen, denn Christl wird jetzt wegfahren* (nach Innsbruck). *Gespräche über den Aufbau, manche Gedanken sind mir neu.*[184] Die Notiz wird allgemein als der erste gesicherte Hinweis angesehen, daß Willi «einbezogen» war. Wenn *manche Gedanken neu* waren, mag zu vermuten sein, daß andere nicht neu waren, er also im Prinzip schon Bescheid wußte; aber zu beweisen ist es nicht. Auch er begann nun, von den Lern- und Praxispflichten einerseits, von den weitgespannten Interessen andererseits (Singen im Bach-Chor, Konzerte, Fechten, Skilaufen, Literatur) noch Zeitanteile für die Gemeinschaftssache abzuzweigen: verschworen und verschwiegen.

Nur sein Tagebuch wurde zum wortkargen Chronisten des unterwandernden Geistes. 10. Dezember 1942: *Am Abend bin ich bei Hans. Wir reden und planen, was zu tun sei.* 17. Dezember: *Dann bei Scholls* (die Geschwister wohnten seit dem 1. Dezember gemeinsam in der Schwabinger Franz-Joseph-Straße Nr. 13)*: Sehr interessantes Gespräch mit Huber.* 20. Dezember: *Spät noch zu Hans und Alex. Wir trinken Tee und Cognac, reden und planen.* 8. Januar 1943, nach den Weihnachtsferien: *Später sitzen wir noch lange im Atelier als Gäste und reden viel, fast zu viel.* 9. Januar: *Am Nachmittag mit Hans zu Besuch in Gräfelfing* bei Professor Huber. *Das Gespräch ist lebendig und grundsätzlich.* 11. Januar: *Am Abend sind wir wiederum Gäste des Ateliers. Es ist der letzte Abend vor der Abreise des Gastgebers. Wir reden viel, und mancher gute Gedanke wird geboren.* 13. Januar: *Besuch bei Hans, auch am Abend bin ich noch dort, wir beginnen wirklich mit der Arbeit, der Stein kommt ins Rollen.* 28. Januar: *Heute arbeiten wir einige Stunden angestrengt.* 8. Februar: *Am Mittag Besuch bei Hans. Am Abend einiges geschrieben. Die Arbeit.* 11. Februar: *Bei Hans zu einem recht interessanten Gespräch.*[185]

Abgesehen von den Flugblättern und den zwei Briefstellen bei Hans Scholl sind es diese Eintragungen, «die – als einziges authentisches Zeugnis – die Aktivitäten der Gruppe dokumentieren»[186]. Wüßte man nicht vom Ende her und aus späterer Zeugenschaft etliches mehr, bliebe der Münchner Widerstand ziemlich schemenhaft. Aus diesen mageren Notizen allein, aus denen ja auch Vorsicht spricht, wäre er nicht plastisch herauszumodellieren.

Weithin ausgeblendet, selbst bei Willi Graf, allenfalls mit spröden Informationssplittern angedeutet, sind die Bemühungen der Münchner, in anderen Städten Gleichgesinnte zu finden und akademische Opposi-

Schwabing, Franz-Joseph-Straße 13. Im Rückgebäude dieses Hauses wohnten
die Geschwister Scholl bis zu ihrer Verhaftung

tionszirkel aufzubauen; denn Stil und Ansprache der bisherigen Flugblätter richteten sich an den Nachwuchs unter der Bildungsschicht, und zwar an den christlich gebundenen. Inge Jens faßt zusammen[187]: Hans Scholls Freundin Traute Lafrenz suchte die schon länger bestehende Hamburger Gruppe von Nazigegnern auf (ihr wird noch ein eigener Abschnitt gewidmet sein), Willi Graf sondierte bei seinen Freunden in Köln, Bonn, Saarbrücken und Freiburg. Eine Freundin Schmorells, die in München lebende Malerin Lilo Ramdohr, stellte die Verbindung zu dem ihr gleichfalls befreundeten Weimarer Dramaturgen Falk Harnack her, der als Soldat in Chemnitz stationiert war. Dessen Bruder Arvid befand sich seit August 1942 zusammen mit Harro Schulze-Boysen, deren beiden Ehefrauen und etlichen Freunden in Haft als Mitglieder der von der Gestapo als «Rote Kapelle» bezeichneten sowjetfreundlichen Widerstandsgruppe. Sie wurden am 22. Dezember hingerichtet.

Am letzten November-Wochenende besuchten Hans Scholl und Alexander Schmorell Falk Harnack in Chemnitz, worüber es Aufzeichnungen Harnacks gibt: «Entgegen den üblichen illegalen Gepflogenheiten sprachen wir sofort sehr offen, da wir gegenseitig wußten, wen wir vor uns hatten. Sie legten mir ihre bisher veröffentlichten Flugblätter als Diskussionsbasis vor. Die politisch grundsätzliche Aussprache ergab, daß Scholl und Schmorell ihre bisherige illegale Tätigkeit aus einer gefühlsmäßig anständigen und idealistischen Haltung heraus durchgeführt hatten, sie aber nunmehr praktische politische Beratung suchten.»[188] Der um vier und fünf Jahre ältere Theatermann, mit Kulturverständnis hinreichend ausgestattet, kritisierte gleichwohl die «philosophisch ausgeschmückten» Aufrufe und empfahl «realistische, politisch klare» zu verfassen.

Durch Harnack sind Hans Scholls weitreichende Vorstellungen bewahrt: an allen deutschen Universitäten studentische Zellen zu errichten, von wo aus abgestimmte Flugblattkampagnen in Gang kommen sollten. Auch wollten die Besucher Verbindung zu den Widerstandszentren in Berlin aufnehmen, um die studentische Opposition auf eine breitere Grundlage zu stellen. Heutige Leseraugen können fast achtlos darüber hinweglesen; war doch der deutsche Widerstand eine Tatsache und sein Zentrum natürlich Berlin. Ende 1942 hätte die Gestapo sich glücklich geschätzt, mit einem Wissen arbeiten zu können, das hier wie etwas längst Geläufiges klingt. In Wirklichkeit besaßen die Studenten nur höchst verschwommene Ahnungen von dem konspiratorischen Geflecht, das seine Fäden stetig dichter knüpfte. Woher sollten sie auch Konkretes gewußt haben? Die militärische Gruppe um Beck, Olbricht und Tresckow und die zivile mit ihrer Mittelpunktfigur Goerdeler verwischten ihre Spuren mit professionellen Tarnungskünsten, und dem Reichssicherheitshauptamt unter Kaltenbrunner, nach Heydrichs Ermordung, waren

Falk Harnack

noch keine nennenswerten Einbrüche in die Phalanx der Hitler-Gegner gelungen, außer in die Rote Kapelle.

Die Prominenz unter den Regimefeindlichen hätte freilich den geistig verbündeten Studenten schon aus Vorsichtsgründen keine Türen geöffnet. Dazu arbeiteten sie zu gegensätzlich bei gleichem Ziel. Jene wollten ja gerade nicht aufrüttelnd hervortreten (mit dem Risiko, eingekreist und ausgehoben zu werden), sondern den entscheidenden Schlag im verborgenen zur Reife bringen. Aufgeschlossen für eine Kontaktnahme waren indes die Brüder Dietrich und Klaus Bonhoeffer, der Pfarrer und der Rechtsanwalt. Ein Verabredungstermin am 25. Februar, den Harnack, nach einem weiteren Treffen Anfang Februar 1943 in München, zwischen seinen Vettern Bonhoeffer und seinen neuen Vertrauten vermittelte, konnte nicht eingehalten werden; Hans Scholl war schon tot.

Aus den Aufzeichnungen Harnacks von 1947 ist zuletzt noch mit Inter-

Dietrich Bonhoeffer

esse zu erfahren, daß die Münchner darauf zielten, an Stelle der heutigen Diktatur «eine Demokratie zu errichten»[189]. So füllt die Erinnerung des überlebenden Gesprächspartners doch noch den Verfassungsleerraum des dritten Flugblatts aus – in einer Richtung, an der auf Grund der dort genannten Merkmale wünschenswerter innerer Staatsbeschaffenheit ohnehin kaum zu zweifeln war.

Während Christoph Probst als Familienvater weitgehend aus der Untergrundarbeit herausgehalten wurde, bemühte Willi Graf sich um seine alten Freunde – mit gemischtem Erfolg. Hein Jacobs in Bonn anzuwerben mißlang, weil er die Unternehmung für verfrüht und zu gefährlich hielt, worin ihm übrigens auch der ältere, damals in München wohnende Freund Fritz Leist beipflichtete. Dieser Initiator der katholischen Jugendgruppe «Grauer Orden» wohnte in der Siegfriedstraße 18 in Schwabing, einer in Willis Tagebuch häufig genannten Besuchsadresse: «ein ruhender Punkt, wo man Menschen traf, mit denen man sprechen konn-te»[190]. Fritz Leist sah das Unternehmen als politisch unreif und aussichts-los an und beschwor Willi, ihn und die «Siegfriedstraße» nicht in die Sa-che hineinzuziehen. Das wurde respektiert. Die Freundschaften litten nicht unter den Absagen, gleichwohl war die Verweigerung schmerzlich für einen, der in seinem nachdenklichen, verhaltenen Wesen ohnehin nicht zu geistigem Abenteurertum neigte.

Für das doppelte Nein entschädigten ihn die Brüder Heinz und Willi Bollinger, alte Gefährten aus der Saarbrücker «Neudeutschland»-Grup-pe: der erste in Freiburg Assistent an der Philosophischen Fakultät, der andere in einem Reservelazarett in Saarbrücken Sanitätsobergefreiter. Beide waren bereit, örtlich Aufgaben zu übernehmen; so fälschte Willi Bollinger Urlaubs- und Militärfahrscheine, wodurch die häufigen militä-rischen Zugkontrollen etwas von ihrer Gefährlichkeit verloren, zumal für Reisende mit Flugblättern im Gepäck. Von Willi Bollinger stammt eine rückverweisende Äußerung von 1963, die in auffallender Motivationsnä-he zu bezeugten Denkweisen vom 20. Juli steht: daß der Erfolg als gar nicht so wichtig erschienen sei; «sondern wir glaubten, daß es Zeit sei, diesen geistigen Protest zu beginnen, weil unser Gewissen uns dazu ver-pflichtete»[191]. Ganz ähnlich klingen Worte des Generalmajors Henning von Tresckow aus dem Jahre 1944, als selbst im Falle eines gelingenden Attentats keine Zugeständnisse der Alliierten mehr zu erwarten waren: «Es kommt nicht mehr auf den praktischen Zweck an, sondern darauf, daß die deutsche Widerstandsbewegung vor der Welt und vor der Ge-schichte den entscheidenden Wurf gewagt hat.»[192] So spricht im Kern Ge-meinsames aus den beiden Widerstandskreisen, dem kleinen und dem großen. Sophie Scholl prägte die kürzeste Formel dafür: *Man muß etwas machen, um selbst keine Schuld zu haben.*[193]

Das fünfte Flugblatt, zugleich das erste nach der Rußland-Pause, ent-stand vor Mitte Januar 1943. Hans Scholl und Alexander Schmorell fer-tigten je einen Entwurf und legten ihn Kurt Huber zur Beurteilung vor. Dem Gelehrten mißfiel Alexanders Exposé, weil er darin «kommunisti-sche Gedankengänge zu erblicken glaubte»[194]. *Von Scholls Entwurf, der nicht fertig war, ließ ich … den Anfang stehen, änderte an dem unfertigen Teil einige Sätze stilistisch und setzte an Stelle eines mißverständlichen Sat-zes einen neuen ein.*[195]

Das fünfte Flugblatt erweist die agitatorische Lernfähigkeit seines Verfassers. Harnacks Kritik wie auch der Einwand Eickemeyers, die Aufrufe 1 bis 4 seien «zu akademisch»[196], hatte er sich zu Herzen ge-nommen. Die zum Teil viel zu langen Sätze sind knapper, eingängiger Diktion gewichen, die Hubers Eingriffe noch gefeilt und zugespitzt hat. Diese Sprache, wollte man sie räumlich festmachen, ist diejenige des

Rednerpodiums, nicht der Studentenbude oder Gelehrtenstube, somit wesentlich zweckgerichteter. Einem Kommandoruf ähnelnd, erschallt jetzt im dritten Absatz die Anrede *Deutsche!*. Auf einen Fragesatz folgt ein schneidendes *Nein!*. Wie eine verkörperte Nemesis naht der Satz: *Die gerechte Strafe rückt näher und näher!* Zupackende Zeitworte üben Suggestivkraft: *Trennt Euch von dem nationalsozialistischen Untermenschentum... Zerreißt den Mantel der Gleichgültigkeit... Entscheidet Euch, ehe es zu spät ist!*

Die Kampfansage aus dem Münchner Architekten-Atelier ist klar zweigeteilt. Nachdem der Leser im Stil einer weltlichen Kapuzinerpredigt auf die drohende irdische Höllenstrafe vorbereitet worden ist (*Nachher wird ein schreckliches, aber gerechtes Gericht kommen über die, so sich feig und unentschlossen verborgen hielten*), werden konkreter als früher Linien in die staatliche Zukunft ausgezogen. *Der imperialistische Machtgedanke und ein einseitiger preußischer Militarismus*, der hier etwas vergröbernd mit dem Hitler-Staat gleichgesetzt wird, müßten *großzügiger Zusammenarbeit der europäischen Völker* weichen. Und: *Das kommende Deutschland kann nur föderalisitisch sein.* Ferner redet das Flugblatt einem *vernünftigen Sozialismus* das Wort, denn *jeder einzelne hat ein Recht auf die Güter der Welt.* Hauptbestandteile eines Grundrechte-Katalogs (Rede- und Glaubensfreiheit sowie persönlicher Schutz vor Willkür) beschließen den Appell.

Die hektographische Arbeit war mühevoll. Der Vervielfältiger mußte mit einer Handkurbel bedient werden: eine auch physische Leistung, bei mehreren tausend Stück. Einen Teil nahm Willi Graf mit auf eine fünftägige Fahrt ins Rheinland, nach Saarbrücken, Freiburg und Ulm. In seinem Koffer steckte überdies ein Vervielfältigungsgerät. So bildete Willi eine «mobile Produktionseinheit»[197]. Gepäckstücke derart verräterischen Inhalts wurden übrigens wie Kuckuckseier behandelt; die Münchner Kuriere legten sie stets in Gepäcknetze anderer Abteile, um bei möglichen Begleitgutkontrollen nicht als Eigentümer offenbart und sofort festgenommen zu werden. Alexander warf frankierte Umschläge, mit Anschriften versehen, in Briefkästen in Salzburg, Linz und Wien, Sophie tat das gleiche in Augsburg. Anschließend übergab sie in Ulm weitere Stücke des fünften Blatts an Hans Hirzel, den jüngeren Bruder der Freundin und Mitseminaristin Susanne. Die Ulmer Freunde Hans Hirzel und Franz Joseph Müller beschrifteten die Kuverts in einer Kirche mit Hilfe eines Telefonbuchs und beförderten sie persönlich nach Stuttgart, von wo aus das weitere die Reichspost besorgte. Jürgen Wittenstein übernahm Kurierdienste nach Berlin, wo Hans Scholls schon examinierter Mediziner-Freund Hellmut Hartert begonnen hatte, eine eigene, von München unabhängige Widerstandszelle unter Studenten aufzubauen, ein Unter-

Flugblätter der Widerstandsbewegung in Deutschland.

A u f r u f   a n   a l l e   D e u t s c h e !

Der Krieg geht seinem sicheren Ende entgegen. Wie im Jahre
1918 versucht die deutsche Regierung alle Aufmerksamkeit auf
die wachsende U-Bootgefahr zu lenken, während im Osten die Armeen
unaufhörlich zurückströmen, im Westen die Invasion erwartet wird.
Die Rüstung Amerikas hat ihren Höhepunkt noch nicht erreicht,
aber heute schon übertrifft sie alles in der Geschichte seither
Dagewesene. Mit mathematischer Sicherheit führt Hitler das deutsche
Volk in den Abgrund. H i t l e r   k a n n   d e n   K r i e g   n i c h t
g e w i n n e n , n u r   n o c h   v e r l ä n g e r n !   Seine
und seiner Helfer Schuld hat jedes Mass unendlich überschritten.
Die gerechte Strafe rückt näher und näher !

Was aber tut das deutsche Volk? Es sieht nicht und es hört
nicht. Blindlings folgt es seinen Verführern ins Verderben. Sieg
um jeden Preis, haben sie auf ihre Fahne geschrieben. Ich kämpfe
bis zum letzten Mann, sagt Hitler - indes ist der Krieg bereits
verloren.

Deutsche! Wollt Ihr und Eure Kinder dasselbe Schicksal erleiden,
das den Juden widerfahren ist? Wollt Ihr mit dem gleichen Masse
gemessen werden ,wie Eure Verführer? Sollen wir auf ewig das von
aller Welt gehasste und ausgestossene Volk sein? Nein! Darum
trennt Euch von dem nationalsozialistischen Untermenschentum!
Beweist durch die Tat, dass Ihr anders denkt! Ein neuer Befreiungskrieg bricht an. Der bessere Teil des Volkes kämpft auf unserer
Seite. Zerreisst den Mantel der Gleichgültigkeit, den Ihr um Euer
Herz gelegt! Entscheidet Euch, eh ' e s   z u   s p ä t   i s t   !

Das fünfte Flugblatt (Vorderseite)

nehmen, das dann offenbar unter dem Eindruck der Münchner Katastrophe im ersten Ansatz wieder aufgegeben worden ist.

Erkennbar wird das Bestreben, Flugblätter nicht von München mit der Post in andere Städte zu versenden, um die «Hauptstadt der Bewegung» nicht als Hauptstadt der Studenten-Bewegung erkennen zu lassen. Die Gestapo sollte auch denken, daß die Organisation weit verzweigt sei; so würde die Fahndung erschwert. Leider hatten unsere Studenten mit erfahrenen Kripo-Spezialisten zu tun, die auf Grund der Eingliederung der Ordnungs- und Kriminalpolizei in das Himmler-Reich, 1936, auch für politische Aufgaben herangezogen wurden; ja, die Polizei wirkte sogar beim schaurigen Geschäft des Holocaust vielfältig mit.

So hatte sie schnell heraus, «daß die Briefumschläge der zum Versand gebrachten Flugblätter von einer Münchner Kuvertfabrik stammten und auch das zur Vervielfältigung benutzte saugfähige Papier mit ziemlicher Sicherheit in München gekauft wurde»[198]. Der Kriminalbeamte Robert Mohr, der seit 26 Jahren im Dienst war und die Fahndung leitete, konnte mit seinen Leuten noch andere Indizien dafür beibringen, daß die neuen Flugschriften, wie schon ihre Vorläufer im Frühsommer 1942, von der Landeshauptstadt aus in Umlauf gebracht wurden. Sie stellten nämlich fest, «daß beim Postamt 23 (in der Ludwigstraße) von ein und derselben Person ungewöhnlich viele Briefmarken zu 8 Pfennig gekauft wurden. Der betreffende Schalterbeamte konnte sogar eine Personenbeschreibung abgeben.»[199] Viele Münchner Anschriften waren einem Studentenverzeichnis der Universität entnommen worden.

Nein, die edle Gesinnung der reisenden Multiplikatoren arbeitete nicht professionell. Da nützte es ihnen gegenüber ihren Häschern wenig, daß beispielsweise die in Augsburg aufgetauchten «Flugblätter der Widerstandsbewegung in Deutschland» (an Stelle des früheren Namens «Flugblätter der Weißen Rose») in Augsburg selbst zur Post gegeben worden waren und daß die in Ulm eingetroffenen Briefe einen Stuttgarter Poststempel trugen. Die Verfolger brauchten sich mit den postalischen Verwirrspielen um so weniger aufzuhalten, als Ende Januar noch obendrein die Münchner Innenstadt mit Flugblättern – den Resten der Auflage – überschwemmt wurde. Von 1300 Stück spricht ein vertrauliches Schreiben des Münchner Generalstaatsanwalts an den Reichsjustizminister. Solche Aktionen, das wußte man in der Gestapozentrale im Wittelsbacher Palais, setzen ortsansässige Täter voraus.

Der ortsansässige und zugleich buchführende Täter Willi Graf notierte unter dem Datum 28. Januar 1943: *Die Nacht sieht mich spät im Bett.*[200] Seine Exemplare hatte er in der Umgebung des Sendlinger-Tor-Platzes ausgelegt, zuvor sogar die Nervenstärke bewiesen, in aller Konzentriertheit einem Cello-Konzert mit Bach-Suiten zu lauschen: *Ungeheuer ernst*

Willi Graf

ist diese Musik, aber von einer solchen Struktur wie selten etwas sonst.[201]
Sophie wurde mit der seelischen Anspannung dieser Wochen weniger fertig als die jungen Männer. Am 19. Januar an Otl Aicher: *Meine Gedanken springen hierhin und dahin, ohne daß ich richtig über sie gebieten könnte.* Und am 2. Februar an Lisa Remppis: *Ich befinde mich in einem Zustand der Zerstreutheit, den ich selbst ganz schlecht an mir kenne (nur aus der Zeit, da ich einmal verliebt war. Doch das trifft für jetzt nicht zu).*[202] Äußerlich blieb sie gelassen, wovon die Schwester Elisabeth ein Beispiel gibt,

da sie gerade zu dem Zeitpunkt bei den Geschwistern in München zu Besuch war und bei ihnen wohnte. Sie seien am Abend des 3. Februar im Englischen Garten spazierengegangen. «Sophie sagte während des Spaziergangs, man müsse etwas tun, zum Beispiel Maueranschriften machen.» Elisabeth, treuherzig: «Ich habe einen Bleistift in der Tasche.» – *Mit Teerfarbe muß man so was machen.* – «Das ist aber wahnsinnig gefährlich.» – *Die Nacht ist des Freien Freund.*[203]

Gerade diese Nacht war Freund der drei Freien: Hans, Alex und Willi. Spät kamen sie vergnügt nach Hause, nachdem Hans schon vorher angerufen hatte: *Besorgt eine Flasche Wein. Ich habe noch 50 Mark in der Tasche gefunden.*[204] Bei Inge Scholl liest man des Bruders begeisterten Ausruf bei der Heimkehr (der aber wegen Elisabeths Anwesenheit folglich an beide Schwestern gerichtet sein mußte): *Wir haben eine großartige Überraschung für Dich. Wenn Du morgen durch die Ludwigstraße gehst, wirst Du ungefähr siebzigmal die Worte ‹Nieder mit Hitler› passieren müssen.* – *Und mit Friedensfarbe, die kriegen sie so schnell nicht wieder runter,* fügte Alexander hinzu.[205]

Nach dem gemütlichen Abend mit dem Wein vom Schwarzhändler, der im selben Haus wohnte, stießen die Geschwister Scholl am nächsten Morgen vor der Universität, auf dem heutigen Geschwister-Scholl-Platz, auf eine Ansammlung von Studenten, die die Fassade anstarrten. In meterhohen Buchstaben prangte dort das Wort FREIHEIT. Mit Bürsten und Sand versuchten Putzfrauen, die Inschrift wegzuschmirgeln. *Da können sie lange schrubben, das ist Teerfarbe,* flüsterte Sophie ihrer Schwester zu.[206]

Jürgen Wittenstein erinnerte sich später: «Wie ein Lauffeuer ging die Neuigkeit durch die Stadt, wo die Spuren der schlecht entfernten Inschriften noch zu sehen waren. Überall standen flüsternde Gruppen umher. Posten forderten zum Weitergehen auf. Polizeiaufgebote durchstreiften die Stadt.»[207]

Die Vibration war verständlich. Die Inschriften hallten durch München wie ein Echo auf die amtliche Mitteilung vom Vortag, daß die 6. Armee in Stalingrad dem bolschewistischen Ansturm erlegen sei. Die Katastrophennachricht des 3. Februar 1943 bewirkte einen Stimmungseinbruch im Volk. Er sicherte solchen schwarzfarbigen Protestschreien, ebenso dem zuvor versendeten und ausgelegten Flugblatt, eine weit höhere Aufmerksamkeit und bewußtere Wahrnehmung als den Aufrufen vom Frühsommer 1942. Jetzt war die «verschworene Gemeinschaft» zwischen Führer und Volk brüchig geworden, wie die Berichte über das Meinungs-

Stalingrad, 1943: deutsche und rumänische Soldaten auf dem Weg in die Gefangenschaft

klima zeigten.[208] Vor allem der Frauen bemächtigte sich tiefe Kriegsmüdigkeit. In Pfaffenhofen malten Unbekannte, wohl von der Landeshauptstadt her angeregt, mit roter Farbe ebenfalls an eine Mauer: «Nieder mit Hitler». In Lindenberg auf dem Lechfeld wurden öffentliche Gebäude mit der Anklage versehen: «Hitler, Massenmörder».[209]

Unter der Münchner Studentenschaft wirkten die jüngsten Vorgänge um so aufregender, als es ohnehin in ihr brodelte und rumorte. Dafür hatte der Gauleiter Paul Giesler gesorgt: am 13. Januar in einer Rede im Deutschen Museum aus Anlaß des vierhundertsiebzigjährigen Bestehens der Universität. Ein Zeitungsbericht am nächsten Tag zitierte ihn verharmlosend nur mit den Worten, die Hohen Schulen seien «keine Rettungsstationen für solche höheren Töchter, die sich den Pflichten des Krieges entziehen wollen»[210]. Im Originalton hatte der «Goldfasan» vor den uniformierten Studenten im Parkett und den Studentinnen auf der Empore weit unverfrorenere Vorstellungen von den Pflichten des Kriegs bekundet. Die jungen Damen sollten lieber, statt sich an den Universitäten herumzudrücken, «dem Führer ein Kind schenken». Weniger hübschen Mädchen bot er an, ihnen seine Adjutanten zu schicken, und versprach «ein erfreuliches Erlebnis»[211].

Der rüde, geschmacklose Ausfall provozierte den wohl größten Hochschulskandal dieser zwölf Jahre. Viele Studentinnen wollten den

Bibliotheksbau des Deutschen Museums in München

Saal verlassen, wurden aber daran gehindert, anschließend festgenommen. Die männliche Studentenschaft blieb wie eine Mauer vor dem Museum und forderte in Sprechchören die Freilassung. Schließlich, so berichten Dabeigewesene, wurden in einem regelrechten Stoßtruppunternehmen, ein hochdekorierter Leutnant an der Spitze, die Kommilitoninnen befreit. Handgreiflichkeiten mit dem Überfallkommando der Polizei schlossen sich an. Aus dem Freundeskreis Scholl waren Jürgen Wittenstein, Wolf Jaeger, Gisela Schertling, Katharina Schüddekopf und Anneliese Graf Zeugen des sensationellen Zusammenstoßes zwischen den Studenten und der Staatsmacht. Die Scholls, Alexander Schmorell und Willi Graf hatten die Feier boykottiert, um nicht gegen den Sabotage-Appell im dritten Flugblatt zu verstoßen: *...Sabotage in allen Veranstaltungen kultureller Art, die das «Ansehen» der Faschisten im Volke heben könnten...*

Am Morgen nach der Sondermeldung über das Ende der Kämpfe an der Wolga begann Kurt Huber seine Vorlesung mit den Worten: *Wir gedenken heute der Opfer von Stalingrad. Die Zeit der Phrasen ist vorbei.*[212] Vor seinen 250 Hörern distanzierte er sich von allem amtlichen Heldenpathos, ließ keinen Zweifel, daß er die Behandlung der nationalen Katastrophe durch die Partei scharf verurteilte.

Sein Hervortreten mit einem Flugblatt begründete aber der Professor in seiner Verteidigungsrede vor dem Volksgerichtshof – obwohl das Ende in Stalingrad sicher den letzten Anstoß geliefert hatte – mehr noch mit des Gauleiters *indiskutablem Angriff auf die Standesehre der Studentinnen... Mich an den Rektor* Walther Wüst *zu wenden, verbot sich bei dessen hinreichend bekannter Einstellung von selbst... In solchen Fällen tritt von jeher das Flugblatt in die Funktion, sich ö f f e n t l i c h Gehör zu verschaffen.*[213]

Indem er unter den inneren Zwang geriet, sich *klar und aufrichtig von der* übrigen, schweigenden *Professorenschaft abzuheben*, wie er im gleichen Zusammenhang äußerte, entstand am 14. Februar der Text jenes Flugblatts, das als sechstes und letztes aus dem Münchner Widerstandskreis hervorgegangen ist. Hans Scholl und Alexander Schmorell beabsichtigten zwar selbst, angespornt von ihrem Erfolgserlebnis, einen neuen Aufruf zu schreiben, doch des Professors Fassung entstand aus dem Energieantrieb seiner Empörung schon eher.

Das Blatt rückt die Erschütterung über den *Untergang der Männer von Stalingrad* nach vorn, denn die Universitätsvorgänge waren nicht von allgemeinem Interesse. Bald aber leitet der Verfasser auf das Erziehungswesen über, welches *uns* (aus der Sicht der Jugend gesprochen) *in den fruchtbarsten Bildungsjahren unseres Lebens zu uniformieren, zu revolutionieren, zu narkotisieren versucht.* Und dann kommt es: *...Gauleiter*

Kurt Huber

greifen mit geilen Späßen den Studentinnen an die Ehre ... deutsche Studenten haben sich für ihre Kameradinnen eingesetzt und standgehalten. Das ist ein Anfang zur Erkämpfung unserer freien Selbstbestimmung ... Die Annahme war ein tragischer Irrtum, wovon noch zu reden ist.

Der Schluß der geistigen Kampfansage, mit *Freiheit und Ehre* beginnend, mit *Freiheit und Ehre* endend, ist von verzehrendem rhetorischen Feuer, sprachgewaltig, zornbebend und von gläubiger Zuversicht in die moralische Kraft der jungen Generation; ein würdiges Zeugnis in der Ahnenreihe großer deutscher Reden und Rufe.

Dem Dokument des Gewissens und der Abrechnung tat es sogar gut, daß die kritischen jungen Verbündeten einen wesentlichen Satz daraus entfernten, ungeachtet der Verärgerung des Autors. Hubers Worte: *Stellt euch weiterhin alle restlos in den Dienst unserer herrlichen Wehrmacht* [214], wollten das Feldgrau vom Braun und Schwarz abheben. 1943 war dieser Kontrast aber längst verwischt. Wohl bestanden in der Wehrmacht noch

102

manche vom Partei- und Rassengeist unberührte Reservate. Das Ostheer, als Ganzes, duldete gleichwohl den Hungertod von Millionen russischen Kriegsgefangenen in seinem unmittelbaren Hoheitsbereich und war tief verstrickt in die vom Völkerrecht erschreckend abweichende ideologische Kriegführung. Ohne die Wehrmacht, mit einem Wort, hätten Hitlers alldeutsche Eroberungsphantasien und der europaweite Holocaust nicht in die Tat umgesetzt werden können. Die Sanitäter-Studenten hatten zuviel vom Charakter des Ostkriegs aufgenommen, um das patriotische Zutrauen ihres Mentors unterstützen zu können, und sie haßten als Zwangssoldaten ohnehin den ganzen Militärbetrieb.

Der Streit wurde nicht mehr ausdiskutiert, weil die Hektographiermaschine im Atelier Eickemeyer sofort mit ihrer Arbeit begann und die Ereignisse sich danach überstürzten. Huber sah Hans Scholl nicht wieder, Alexander Schmorell und Willi Graf nur noch auf der Anklagebank.

Der 18. Februar

Hans und Sophie Scholl verlassen ihre Wohnung in der Franz-Joseph-Straße mit einem Koffer voller Flugblätter. Es ist der große, nicht versendete Rest des Huberschen Aufrufs mit zwei unterschiedlichen Anredeformen (wegen eines Matrizenrisses). Hans und Sophie wollen die letzten Minuten vor dem Ende der dreiviertelstündigen Zehn-Uhr-fünfzehn-Vorlesung nutzen, um die Blätter in der Uni auszulegen. In dieser Zeit sind die Gänge leer, und die Aussicht, ungesehen zu bleiben, ist groß. Aber der helle Tag hat viele Augen. Vier davon, allerdings befreundete, gehören Traute Lafrenz und Willi Graf, die den Herbeihastenden just auf der Treppe begegnen. Beide hatten gerade Huber gehört, mußten die Vorlesung aber vorzeitig verlassen, um mit der Straßenbahn zur Nervenklinik ins Elf-Uhr-fünfzehn-Kolleg hinüberzuwechseln. En passant verabredet man sich für den Nachmittag, ohne viele Worte. Traute Lafrenz hängt unguten Empfindungen nach: Was tun die zwei kurz vor elf mit einem Koffer in der Universität? Auch Willi, über das Vorhaben nur in groben Zügen unterrichtet, grübelt in der folgenden Vorlesung. «Sonst schläft Willi regelmäßig ein. Heute rückt er ruhelos hin und her.»[215]

Unterdessen ist am Tatort schon alles entschieden. Die Geschwister hatten die meisten Blätter auf Treppenstufen und Fenstersimsen verteilt und waren im Handumdrehen wieder auf der Straße gewesen. Noch lagen aber Exemplare des Aufrufs im Koffer, und dieses ungemütliche Gefühl, den selbstgesetzten Auftrag nicht zu Ende ausgeführt zu haben, ließ sie innehalten. Also Umkehr, ein letzter Befreiungsakt. Wirbelnde Blätter

Der Lichthof der Münchner Universität

vom oberen Stockwerk über die Balustrade in den Lichthof. Und gerade
hierbei waren nun andere Augen aufmerksam, keine befreundeten diesmal, sondern einem Menschen zugehörig, wie es unzählige gibt: weder
bösartig noch fanatisch, statt dessen erzogen zu Korrektheit, Ordnung,
Pflicht, zu Tugenden des Alltags also, die hier lediglich zu Vollstreckern
des Unrechts wurden. Die Träger solcher Eigenschaften wissen sich, weil
es doch Vorzüge sind, nicht schuldig und werden es nie wissen. Innerhalb
ihrer Buchstaben-Gesetzlichkeit ist kein Raum dafür, daß Vorschriften
bis hin zur Obrigkeitstreue ungültig werden können, weil ein ungeschriebenes Sittengesetz es verlangt.

Der Hausmeister Jakob Schmied erspähte also die beiden Urheber des
Papierregens, eilte die Treppen hinauf und schrie: «Sie sind verhaftet!»
Die Studentin Annemarie Farkasch, Zeugin des Zusammenpralls: «Die
beiden wehrten sich überhaupt nicht, schienen nicht einmal erschrocken;
sie machten den Koffer zu und gingen ruhig mit.»[216]

War dies eine Gethsemane-Szene? War es der Vollzug der Bereitschaft
zum Opfer? Folgten sie widerstandslos den Schergen, weil die Stunde gekommen schien? Wir haben es wohl anders zu sehen. Bei aller Entschiedenheit, sich für die gerechte Sache notfalls mit dem Leben einzusetzen,
glaubten sie anscheinend gerade jetzt nicht, daß es zum äußersten kom-

men würde. Die Entwicklung seit Mitte Januar 1943 – der «Sieg» im Deutschen Museum, die Ansprechbarkeit vieler nach dem Schock von Stalingrad, das Triumphgefühl nach geglückten nächtlichen Inschriften-Kampagnen, die Verbreitung der Flugblätter mit dem zufriedenen Ingrimm, unentdeckt zu sein – täuschte die Studenten gefährlich über die Entschlossenheit der Systemträger und ihrer vielen Abhängigen und Dienstwilligen, jedem «Defaitismus» mit eiserner Faust zu begegnen. Nicht nur nachträgliche Berichte Überlebender, auch authentische Eigenaussagen von damals versetzen uns in eine hochgestimmte Bewußtseinslage im Tatkreis der Weißen Rose.[217]

Kurt Huber glaubte, Vergleiche ziehen zu dürfen zu den Befreiungskriegen, schlug einen kühnen Bogen von Napoleons Beresina zu Hitlers Stalingrad und warb mit Theodor Körners Freiheitspathos: *Frisch auf, mein Volk, die Flammenzeichen rauchen!* Das Volk erwarte *von uns, wie 1813 die Brechung des Napoleonischen, so 1943 die Brechung des nationalsozialistischen Terrors aus der Macht des Geistes.* Läßt man einmal den letztlich unangemessenen Vergleich, der Napoleon an die Seite moderner Rassen- und Klassen-Diktatoren stellt, beiseite, so bleibt doch im letzten Flugblatt eine brennende Erwartung, die den Tag der Abrechnung nahe vor sich sah.

Unter den Älteren teilte ebenso Carl Muth verbürgt die Überzeugung, daß das Ende des Regimes bevorstehe, und Theodor Haecker trug unter dem 3. Januar 1943 in die «Tag- und Nachtbücher» ein: «Wenn dieser furchtbarste Betrug einmal ein Ende genommen haben wird – und der Anfang vom Ende ist nun da ...»[218] Derartige Einschätzungen reifer Wissenschaftler, nahestehender Persönlichkeiten obendrein, mußten die Jungen in ihren eigenen optimistischen Einschätzungen bestärken. Sophie Scholl war im Februar in ihren letzten Briefen der Ansicht: *das Kriegsende rückt ja spürbar näher*[219]. Jürgen Wittenstein wußte nach dem Krieg zu erinnern, daß die Freunde in der Stimmungslage des Februar 1943 geglaubt hatten, «es genüge, eine Bresche in die Mauer des Terrors, des fatalen massenhaften Vertrauens, des unechten Gehorsams zu schlagen, und ein breiter Strom von Mut und Wiederbesinnung, von positiver Kraft und lange gestauter Empörung werde sich allenthalben den Gewalthabern entgegenwerfen»[220]. Otmar Hammerstein, gleichfalls einer aus dem engen Kreis des Mitwissens ohne Mittun, von einem wohlgesonnenen Vorgesetzten unmittelbar nach dem 18. Februar nach Amsterdam versetzt, wo er vor Kriegsende «untertauchte» – Hammerstein verwendet den Ausdruck «Rausch» für das Selbstgefühl jener Tage und gibt Hans Scholls Bemerkung wieder: *Jetzt bringen wir die Stadt in Bewegung.*[221] Er habe auch Zuversicht geäußert, daß, falls alles auffliege, die Strafkompanie das Schlimmstmögliche sein würde, was ihnen passieren könnte: denn so dumm seien die Nazis ja nicht, Leute hinzurichten, die noch für sie kämpfen könnten. Es habe, fügt Hammerstein hinzu, in ihrem Kreis das Sicherheitsgefühl vorgeherrscht, in der Wehrmacht könne einem von seiten der Gestapo nichts passieren.

Dem stehen Bemerkungen anderer Tendenz entgegen. Inge Scholl: «Es muß mit aller Entschiedenheit erklärt werden, daß sich alle Sechs nicht den geringsten Zweifeln über die Folgen ihres Tuns hingegeben haben. Daß nur und nichts anderes als die Todesstrafe bei der Aufdeckung ihrer Aktion zu erwarten war, wußte damals jeder, der offene Augen hatte.»[222]

Sind die Gegensätze aufzulösen? Vielleicht wohnten sie eng beisammen und waren nur durch die jeweils gerade vorherrschende Einschätzung der Zeitlage gegeneinander abgegrenzt. Hier kommt es sehr auf den akuten Zeitpunkt an. Grundsätzlich hat Inge Scholls Wiedergabe größeres Gewicht, weil jeder Unverblendete so denken mußte. Als die Zahl der amtlichen Meldungen über Todesurteile gegen «Staatsfeinde» aller Art zunahm, als die Gefallenenzahlen sich häuften und die Zeitungen aussahen «wie Friedhöfe»[223], sank der Kurs des Einzellebens rapide. Andererseits: In den letzten Wochen vor dem Ende der Weißen Rose in München schien diese Grundstimmung, wenn die Zeugnisse nicht täuschen, einer gelösteren Betrachtungsweise gewichen zu sein. So vertrüge sich die eine Tendenz mit der andern.

Es paßt in den Zusammenhang, daß Hans Scholl, wie von mehreren berichtet, seine subversive Spannkraft zuletzt durch Spritzen zu steigern suchte, die Übermüdung mit subkutanen Aufputschmitteln bekämpfte, um die Grenzen der Belastbarkeit für eine Weile hinauszuschieben. Derartige Nachhilfen waren geeignet, die emotionale Hochspannung ins Euphorische zu treiben und den sonst so wachen Gefahreninstinkt zu dämpfen. Mutmaßlich diktierte zudem noch Eile das Handeln. Dem Buchhändler Söhngen hatte Hans Scholl anvertraut, daß er die Geheime Staatspolizei auf seiner Spur wisse und vor seiner Festnahme noch einmal aktiv sein müsse.[224]

Verhielt es sich so, wäre eher zu verstehen, daß die beiden die heiße Ware am hellen Tag im intellektuellen Zentrum Münchens loszuwerden suchten, statt *die Nacht* als des *Freien Freund* [225] auszunutzen. Für Hans Scholls sonst so geschärfte Sinne und helle Bewußtheit glich es einem ungewöhnlichen Versäumnis, daß er bei so gefährlichem Unternehmen einen handschriftlichen Flugblatt-Entwurf von Christoph Probst bei sich trug. Als ihm dies nach der Verhaftung schreckhaft bewußt wurde, zerriß er den Zettel in kleine Stücke und versuchte sie zu beseitigen. Die anderen waren schneller, wurden der Papierreste habhaft und setzten sie sorgsam zusammen. Beim Durchsuchen der Wohnung stießen die Beamten auf Briefe, die Christl aus Innsbruck geschrieben hatte, Handschriften-

Vergleiche erwiesen seine Urheberschaft an der Flugblattskizze. Am nächsten Tag wurde er bei seiner Einheit in Innsbruck verhaftet.

Tragisch bleibt, daß gerade derjenige, den man seiner Familie wegen – im Januar war das dritte Kind geboren worden – aus den «Fronteinsätzen» des Untergrundkampfs heraushalten wollte, über Vergeßlichkeiten zu Fall kam. Ob ihn sonst andere Indizienzufälle in die gleiche Lage gebracht hätten, ist nicht zu erweisen. Die letzte Verantwortung für das Mitmachen, sie freilich hatte bei ihm selbst gelegen, als seine freie Entscheidung.

Im Kleiderschrank in der Franz-Joseph-Straße hing an diesem Tag Alexanders Uniform. Ohne sie konnte er nicht zu den täglichen Appellen der Studentenkompanie antreten. Da er von der Verhaftung beider wußte – am Mittag zu Lilo Ramdohr: *Die Gestapo hat Hans und Sophie vor der Universität abgeführt. Ich habe es gesehen*[226] –, versuchte er zu fliehen.

Christoph Probst mit seinem Sohn Mischa

Hans Scholl

Und noch etwas finden die Schnüffler aus dem Wittelsbacher Palais: ganze Streifen von Acht-Pfennig-Marken, 140 Stück. Als dieses erstrangige corpus delicti den (getrennt) vernommenen Beschuldigten vorgehalten wird, bricht ihre Verteidigungsstrategie zusammen. Bisher hatten sie die Tat geleugnet – wodurch auch erwiesen ist, daß sie sich nicht aus Gründen der Resignation widerstandslos hatten festnehmen lassen. Der Hausmeister als einziger Belastungszeuge war des Irrtums bezichtigt

Sophie Scholl

worden. Die Flugblätter seien nicht von ihrer Hand, und den leeren Koffer habe Sophie mit nach Ulm nehmen wollen, um vom Elternhaus einiges hierherzubringen. Jetzt bekommen die stockenden Verhöre Schwung. Die vernehmenden Beamten, eben noch vor einer abweisenden Wand des Leugnens, finden staunend zwei bereitwillig Geständige.[227] Aber geständig sind sie nur, soweit es sie selbst betrifft, versuchen vielmehr, die anderen zu entlasten. Alexander Schmorell sei erst Ende Januar 1943 in die

Pläne eingeweiht worden, Willi Graf gar nicht beteiligt gewesen, über eine Mitwirkung Hubers fällt kein Wort, und über die Flugblattskizze von Christoph Probst sagt Hans Scholl: *Probst stand in politischer Hinsicht unter meinem Einfluß und wäre zweifellos ohne diesen nicht zu diesem Entschluß gekommen.*

Christoph selbst führt im Verhör zu seiner Verteidigung an: *Ich befand mich in der Nacht, in der ich den Entwurf schrieb, in einer furchtbaren seelischen Depression.* Er habe auch gar nicht angenommen, daß Hans Scholl diesen Entwurf zu verwerten beabsichtige, *da er ein sehr selbständer Denker ist.* Während Christoph von sich sagt, er sei *im allgemeinen ein unpolitischer Mensch*, lassen die beiden Scholls an ihrer Grundeinstellung keinen Zweifel. Hans: *Ich war der Überzeugung, daß ich aus innerem Antrieb handeln mußte, und war der Meinung, daß diese innere Verpflichtung höher stand als der Treueid, den ich als Soldat geleistet habe.* Sophie ergänzt: *Es war unsere Überzeugung, daß der Krieg für Deutschland verloren ist und daß jedes Menschenleben, das für diesen verlorenen Krieg geopfert wird, umsonst ist.*

Und als wollte sie sich von vornherein jeden Ausweg versperren: *Wenn die Frage an mich gerichtet wird, ob ich auch jetzt noch der Meinung sei, richtig gehandelt zu haben, so muß ich hierauf mit ja antworten.* Diese Feststellung bezieht sich auf den Versuch des relativ mitfühlenden Vernehmungsbeamten Mohr, Sophie eine Brücke zu bauen: ob sie nicht bei sorgfältigem Vorausbedenken all der schädlichen Folgen für den Nationalsozialismus und die Wehrkraft derartige Handlungen unterlassen hätte: *Sie täuschen sich, ich würde alles genau noch einmal so machen; denn nicht ich, sondern Sie haben die falsche Weltanschauung.* [228]

Aber nun ist aus dem Untersuchungsfall ein Gerichtsfall geworden. Ein hochrangiger. Ein höchstrangiger, wegen der Unruhe, die die Münchner Vorfälle in Partei und Staat bis «ganz nach oben» hervorgerufen hatten. Gauleiter Giesler informiert triumphierend den Leiter der Parteikanzlei, Martin Bormann, im Führerhauptquartier; der meldet es seinem obersten Chef. Auf der militärischen Seite willigt Generalfeldmarschall Keitel ein, daß die Soldaten gegebenenfalls von Zivilgerichten abgeurteilt werden. Bei einem Straftatbestand, den die NS-Justiz als Vorbereitung zum Hochverrat wertet, kommt hierfür nur der Volksgerichtshof in Frage. Damit liefert die Wehrmacht die Uniformierten dem gefürchtetsten Richter des Dritten Reiches aus. Roland Freisler zögert nicht, das Verfahren an sich zu ziehen. Und damit es schneller geht, nimmt er eine Sondermaschine nach München.

Vor dem Volksgerichtshof

Gegründet wurde der Volksgerichtshof im April 1934 aus einer Unmuts-
reaktion der nationalsozialistischen Führung. Unzufrieden mit dem Urteil des Leipziger Reichsgerichts im Reichstagsbrandprozeß 1933 wollte
sie sich ein gefügiges Rechtsinstrument in politischen Strafsachen sichern,
von vornherein mit bestimmendem Einfluß auf die Besetzung der Spit-
zenposition. Der erste Präsident Otto Thierack (1934–42) rechtfertigte
das Vertrauen seiner Auftraggeber, indem er die Urteilsfindung zunehmend verschärfte, vor allem seit Kriegsbeginn. Sein Nachfolger Roland
Freisler (August 1942 bis Februar 1945) ließ den Volksgerichtshof zum
forensischen Terrorinstrument verkommen.

Freisler war der radikalste Vertreter der Gesinnungsjustiz, der in der
deutschen Rechts- oder Unrechtsgeschichte erinnerlich ist. Von eisiger
Intelligenz, souveräner Kenntnis des Strafgesetzbuchs, zupackender Re-
degewalt und weltanschaulichem Fanatismus, dämonisierte er den Gerichtssaal. Weit entfernt, die Aufgabenteilung zwischen Richter und
Staatsanwalt zu achten, wie sie dem modernstaatlichen deutschen Pro-
zeßrecht eigen ist, entwickelte er sich zu einer brüllenden Anklagema-
schine, vor welcher kaum ein Angeklagter ohne dauernde Unterbrechung
zusammenhängend zu Worte kam. Während der niederwalzenden akusti-
schen Großangriffe in den Prozessen gegen die Männer und Frauen des
20. Juli beschwerten sich sogar die amtlich bestellten Kameraleute, daß
ihre Tonaufnahmen unbrauchbar seien, weil die Angeklagten infolge der
Lautstärke des Vorsitzenden kaum zu hören waren.

Aber jetzt stehen wir im Februar 1943. Genau sechs Monate waren seit
Freislers Berufung durch Hitler vergangen. Am 15. Oktober 1942 hatte er
dem «obersten Gerichtsherrn» brieflich gedankt: «Der Volksgerichtshof
wird sich stets bemühen, so zu urteilen, wie er glaubt, daß Sie, mein Führer, den Fall selbst beurteilen würden.» Freisler unterschrieb als: «In
Treue Ihr politischer Soldat.»[229] Geschickt unterlief er hierdurch Hitlers
bekannte Abneigung gegen den Juristenstand. Ein politischer Soldat war

eben kein gewöhnlicher Paragraphenreiter, sondern ein Gesinnungs-kämpfer gegen Dolchstöße an der Heimatfront. Die allerhöchste Gering-wertung der Robenträger steigerte Freislers Radikalität. Er wollte aner-kannt sein, indem er Furcht verbreitete.

«Allen Gewalten ...»

Er traf auf Furchtlose. Hans und Sophie Scholl, die den Tod nicht gesucht, hatten ihn schon in der gepreßten Schicksalslehrstunde im Untersu-chungsgefängnis als ihren Tod angenommen. Noch in Sophies letztem Brief vom 17. Februar an Lisa Remppis steht: *O, ich freue mich wieder so sehr auf den Frühling.*[230] Wenige Tage später hörte die Mitgefangene Else Gebel ihre Zellengefährtin sagen: *So ein herrlicher, sonniger Tag, und ich muß gehen. Aber wie viele müssen heutzutage auf den Schlachtfeldern sterben, wie viele hoffnungsvolle Männer. Was liegt an meinem Tod, wenn durch unser Handeln Tausende von Menschen aufgerüttelt und geweckt werden. Unter der Studentenschaft gibt es bestimmt eine Revolte.*[231] Auf jeden Fall wollte sie gleichbehandelt werden: *Wenn mein Bruder zum Tode verurteilt wird, so will und darf ich keine mildere Strafe bekommen. Ich bin genauso schuldig wie er.*[232] Hans rechnete vom zweiten Tag an mit dem Todesurteil. Seine Unbeugsamkeit im Voraussehen der härtesten Strafe teilte er seiner Zellenwand mit. Bevor er am 22. Februar zur Ver-handlung abgeholt wurde, schrieb er mit Bleistift auf die weiße Fläche: *Allen Gewalten zum Trotz sich erhalten.*[233] Es war die Familien-Losung der Scholls.

Als die Geschwister sich ins Schlimmstmögliche zu fügen begannen, dabei entsetzt erfuhren, daß Christoph eingeliefert worden war, schrieb dieser noch zuversichtlich an seine Mutter: *...Durch ein unwahrscheinli-ches Mißgeschick bin ich nun in eine unangenehme Lage geraten. Ich be-schönige aber nichts, wenn ich Dir sage, daß es mir gut geht und daß ich ganz ruhig bin. Die Behandlung ist gut, und das Leben in der Zelle er-scheint mir so erträglich, daß ich vor einer längeren Haftzeit keine Angst habe...nur für Euch bin ich besorgt, für die Frau und die kleinen Kin-der...*[234]

In der Verhandlung vor dem 1. Senat des Volksgerichtshofs im Schwur-gerichtssaal des Justizgebäudes verteidigte Christoph Probst seinen Entwurf mit *psychotischer Depression*[235] auf Grund sowohl des Sta-lingrad-Dramas als auch der persönlichen Sorgen: wegen des Kindbettfie-bers seiner Frau. Er zielte also noch darauf, mildernde Umstände zu erwirken. Die beiden anderen dagegen suchten nicht Verteidigung, nur Begründung. Sophie Scholl auf die Frage des Gerichtspräsidenten nach

Roland Freisler, Präsident des Volksgerichtshofs

dem Tatmotiv: *Einer muß ja doch schließlich damit anfangen. Was wir sagten und schrieben, denken ja so viele. Nur wagen sie nicht, es auszusprechen.*[236] Andere Äußerungen müssen von äußerster Schärfe gewesen sein. Es gibt verschiedene Versionen. Clara Huber hörte zufällig beim Einkauf in der Apotheke, wie die Frau eines der Beisitzer sich über «ein so freches Mädchen» empörte, das gesagt habe: *Unsere Köpfe rollen heute, aber Ihre rollen auch noch.*[237]

Kurz vor dem Ende der Verhandlung drangen die Eltern Scholl, von Jürgen Wittenstein in Ulm benachrichtigt und in München von der Bahn abgeholt, in den Sitzungssaal ein. Das Bemühen Robert Scholls, sich gegenüber dem Präsidenten zugunsten seiner Kinder zu verwenden, wies Freisler mit unwirscher Handbewegung zurück. Die Eltern wurden aus dem Saal geführt, wobei Vater Scholl die Worte hervorstieß: «Es gibt noch eine andere Gerechtigkeit!»[238]

In seinem Schlußwort bat Hans Scholl für seinen Freund, der Familie wegen. Freisler, dessen Verhandlungsstil reine Anklage war, nicht abwägendes richterliches Rechtfinden, und der die Studenten nach der Wiedergabe des damaligen Referendars Leo Samberger «immer wieder als eine Mischung von Dümmlingen und Kriminellen hinzustellen» suchte[239], schnitt ihm brüsk das Wort ab: «Wenn Sie für sich selbst nichts vorzubringen haben, schweigen Sie gefälligst!»[240]

Christoph Probst wurde trotz seiner Nichtteilnahme an den Flugblatt-Abzügen und -Versendungen, seiner Nichtbeteiligung an den «Schmieraktionen» (Freisler[241]), allein wegen seines Exposés unter das gleiche Richtmaß gestellt: «Wer so, wie die Angeklagten getan haben, hochverräterisch die innere Front und damit im Kriege unsere Wehrkraft zersetzt und dadurch den Feind begünstigt, erhebt den Dolch, um ihn in den Rücken der Front zu stoßen ... Deshalb gab es für den Volksgerichtshof zum Schutze des kämpfenden Volkes und Reiches nur eine gerechte Strafe: die Todesstrafe.»[242]

Nach der Verkündung gelang es Werner Scholl, der gerade als Urlauber aus Rußland gekommen war, zu den Verurteilten vorzudringen und ihnen die Hand zu geben. Als ihm die Tränen in die Augen sprangen, legte Hans ihm die Hand auf die Schulter: *Bleib stark – keine Zugeständnisse!* [243]

Den schwersten Weg der drei ging Christoph Probst. Er mußte sich binnen drei Stunden in das erkannte Unabwendbare schicken. Die Briefe, die er seiner Frau, Mutter und Schwester schrieb, wurden nicht ausgehändigt; nur Einblick durften die Adressaten nehmen. Man befürchtete negative Propagandawirkungen. Ein Staat trotzte der ganzen Welt und hatte Angst vor der eigenen Jugend ...[244] Die Angehörigen schrieben sofort aus dem Gedächtnis nieder, was sie behalten hatten, und bewahrten dadurch bruchstückhaft letzte Worte des Mannes, Sohnes und Bruders auf (die Originale sind verschollen). Der Mutter galten Sätze wie die: *Ich danke Dir, daß Du mir das Leben gegeben hast. Wenn ich es recht bedenke, so war es ein einziger Weg zu Gott.* Der Schwester Angelika hatte Christl versichert: *Ich sterbe ganz ohne Haß.* Er versuchte, Bedrängnis von ihr zu nehmen: *Ich wußte nicht, daß Sterben so leicht ist.*[245] Der Dreiundzwanzigjährige ließ sich im Angesicht des Todes katholisch taufen. Seine Verwandten sah er nicht mehr.

Demgegenüber gelang es den Eltern Scholl am Nachmittag, eine Besuchserlaubnis in der Vollzugsanstalt Stadelheim zu bekommen, nicht ahnend, daß es die letzte Lebensstunde ihrer Kinder war.[246] Hans, der ihnen zuerst zugeführt wurde, trug Sträflingskleidung. *Ich habe keinen*

Jm Namen
des Deutschen Volkes

Jn der Strafsache gegen

1.) den <u>Hans</u> Fritz S c h o l l aus München, geboren in Jngers-
heim am 22. September 1918,

2.) die <u>Sophia</u> Magdalena S c h o l l aus München, geboren in
Forchdenberg am 9.Mai 1921,

3.) den <u>Christoph</u> Hermann P r o b s t aus Aldrans bei Jnnsbruck,
geboren in Murnau am 6. November 1919,

zur Zeit in dieser Sache in gerichtlicher Untersuchungshaft,

wegen landesverräterischer Feindbegünstigung, Vorbereitung zum
Hochverrat, Wehrkraftzersetzung

hat der Volksgerichtshof, 1. Senat, auf Grund der Hauptverhandlung
vom 22. Februar 1943, an welcher teilgenommen haben

als Richter :

Präsident des Volksgerichtshofs Dr.Freisler, Vorsitzer,

Landgerichtsdirektor Stier,

ᚻ-Gruppenführer Breithaupt,

SA-Gruppenführer Bunge,

Staatssekretär und SA-Gruppenführer Köglmaier,

als Vertreter des Oberreichsanwalts:

Reichsanwalt Weyersberg,

für Recht erkannt :

Die Angeklagten haben im Kriege in Flugblättern zur Sabotage der Rüstung und zum Sturz der nationalsozialistischen Lebens-
form unseres Volkes aufgerufen, defaitistische Gedanken propagiert
und den Führer aufs gemeinste beschimpft und dadurch den Feind des
Reiches begünstigt und unsere Wehrkraft zersetzt.

Sie werden deshalb mit dem

T o d e

bestraft.

Jhre Bürgerehre haben sie für immer verwirkt.

erlede

zu- 1.3.38.43

Das Todesurteil gegen Hans und Sophie Scholl und Christoph Probst

Haß, ich habe alles, alles unter mir. Der Vater schloß ihn mit den Worten in die Arme: «Ihr werdet in die Geschichte eingehen; es gibt noch eine Gerechtigkeit.» Sophie trug ihr eigenes Kleid. «Nun wirst Du also gar nie mehr zur Türe hereinkommen.» – *Ach, die paar Jährchen, Mutter.* Und: *Wir haben alles, alles auf uns genommen. – Das wird Wellen schlagen.* Das letzte von beiden Seiten war: «Gelt, Sophie, Jesus.» – *Ja, aber Du auch.* Lächelnd ging sie. Als unmittelbar danach der Gestapobeamte Mohr auf sie stieß, traf er sie erstmals weinend. *Ich habe mich gerade von meinen Eltern verabschiedet, Sie werden begreifen.*[247] Hans dankte ihm, daß er seine Schwester so gut behandelt habe.

Der evangelische Gefängnisgeistliche Karl Alt nahm mit den Geschwistern auf ihren Wunsch in den beiderseitigen Zellen das Abendmahl. Dort merkte er sich Sätze aus Hans Scholls Abschiedsbrief, der nie angekommen ist. *Ich bin ganz stark und ruhig... Ich danke Euch, daß Ihr mir ein so reiches Leben geschenkt habt.*[248] Die Vollzugsbeamten, die von der stillen Würde und Gefaßtheit der Hinzurichtenden beeindruckt waren, erlaubten ihnen ein letztes kurzes Zusammensein. Hans rief, als es für ihn soweit war: *Es lebe die Freiheit!* [249] Noch als Enthauptete erschienen die jungen Leute so gefährlich, daß der Perlacher Friedhof zur Beisetzung am übernächsten Tag abgesperrt wurde und die Gestapo die Zeremonie beaufsichtigte. Eine strahlende Februarsonne versank vor der Kulisse des Zugspitzmassivs. «Sie geht auch wieder auf», sagte Pfarrer Alt. «Dieses Ja zum Leben, das galt auch in der schwersten Situation.» (Inge Scholl[250])

Das große Plädoyer

Brennend rote Plakate verkündeten in München, daß drei – mit Namen genannte – Hochverräter zum Tode verurteilt worden und die Urteile bereits vollstreckt seien. Es war wie ein Kampf der Buchstaben. Diese hier schienen über die blaß gewordenen Inschriften *Nieder mit Hitler* zu triumphieren. Unterdessen scheiterte Alexanders Flucht an widrigen Umständen. Verfolgt von Mißgeschick und den Fahndungsaufrufen der Münchner Zeitungen («Verbrecher wird gesucht – 1000 Mark Belohnung»), geriet er am Abend des Tages in Haft, an dem seine Freunde beerdigt wurden. Drei Tage später stand die Gestapo auch vor Kurt Hubers Tür.

Gemessen an der eiligen Aburteilung der ersten Gruppe ließ man sich mit der Vorbereitung des zweiten Verfahrens erstaunlich viel Zeit. Besonders bei Willi Graf, obwohl er schon am 18. Februar verhaftet worden war, überrascht, daß er als der weit Aktivere geschont wurde im Gegensatz zum weit geringer Beteiligten Christoph Probst. Anscheinend erhofften sich die Untersuchenden durch ihn tiefere Aufschlüsse, nachdem sie das weit über München hinaus ins Rheinland hineinreichende konspiratorische Geflecht erspürt und erschnüffelt hatten.

Erst am 19. April standen vierzehn Angeklagte in München vor dem Volksgerichtshof, dem wiederum Freisler vorsaß: außer den drei Hauptbelasteten die Münchner Studentinnen Traute Lafrenz, Gisela Schertling, Katharina Schüddekopf, der Freiburger Mediziner Helmut Bauer, die Ulmer Oberschüler Heinrich Guter, Franz Joseph Müller, Hans Hirzel, dessen Schwester Susanne, Heinz Bollinger (nicht Willi, der Fahrscheinfälscher!), Falk Harnack und Eugen Grimminger, ein Jugendfreund Robert Scholls; als Wirtschaftsberater in Stuttgart hatte er die Weiße Rose durch Geldmittel unterstützt.

Sie alle hatten eine bedeutend längere Untersuchungshaft hinter sich als ihre Leidensgefährten zuvor. Falk Harnack spricht von endlosen Verhören im Wittelsbacher Palais in der Brienner Straße, von seiner auch nachts grell erleuchteten Zelle, die er weder zu Rundgängen im Gefängnishof noch bei Luftangriffen verlassen durfte. «Einmal sah ich Alexander Schmorell. Er kam mir, als ich zu einer Vernehmung abgeholt wurde, entgegen. Noch heute sehe ich seine große schöne Gestalt, hochrot im Gesicht, mit glühenden Augen. Wir grüßten uns stumm.»[251] Die politischen Gefangenen aller Richtungen teilten damals, Harnack zufolge, das gemeinsame Gefühl, daß es gleichgültig sei, wie lange eine Haftstrafe ausfalle, wenn nur der Kopf oben bleibe, denn lange könne der wahnsinnige Krieg nicht mehr dauern.

Demgemäß ist für den zweiten Prozeß kennzeichnend, wie schon in den Verhören zuvor, daß sich die meisten Angeklagten nach Kräften verteidigten. Manches wurde auf Hans Scholl geschoben, was keineswegs unfair war, da es ihm nicht mehr schaden konnte und für die Andenkenpflege nicht gerade die NS-Justiz in Frage kam. Willi Graf schon im Verhör: *Scholl war mir, das gebe ich ohne weiteres zu, geistig in jeder Hinsicht überlegen ... so daß ich im Laufe der Zeit mehr und mehr unter seinen Einfluß kam ...*[252] Nicht aus eigenem Antrieb, sondern durch Überredung und Beeinflussung und nicht zuletzt durch Gutmütigkeit sei er in die Sache hineingeraten.

Umgekehrt wirkten Hans und Sophie mit ihren Selbstbezichtigungen – *Wir haben alles, alles auf uns genommen*[253] – noch in das zweite Verfahren hinein. Der Volksgerichtshof mußte zuerkennen, daß in Stuttgart nicht Sophie Scholl, sondern Hans Hirzel die Flugblätter zur Post gegeben hatte und daß das sechste Flugblatt nicht von den Scholls stammte, wie von ihnen zum Schutz Hubers behauptet. Das Gericht legte bei diesen Korrekturen «Wert auf die Feststellung, daß sein damaliges Urteil auch bei

Kenntnis der wirklichen Sachlage...nicht anders gelautet hätte»[254]. So kam auch Alexanders Beteiligung am Herstellen des ersten Flugblatts erst nach dem Tod seines Freundes heraus. Er sei es allein gewesen, hatte Hans damals erklärt.

Ganze Sturzwasser schnaubenden Zorns ergossen sich über Alexander Schmorell, als er auf die Frage: «Ja, und wenn die Russen kamen, haben Sie nicht auf die Russen geschossen?», geantwortet hatte: *Genauso wenig, wie ich auf Deutsche schieße, schieße ich auf Russen.*[255] Aufs empörendste hob hier einer die Zweiteilung in rassischen Höher- und Minderwert auf. Alexanders Bemerken, er habe ja vormals den Eid auf den Führer nicht ablegen wollen, wischte das Gericht beiseite; er habe «kein Recht zu einem inneren Vorbehalt, Halbrusse zu sein»[256].

Kurt Hubers Verteidigungstaktik ist aus seinem langen Schlußwort herzuleiten: die erkannten Mißstände in der Herrschaftspraxis des Nationalsozialismus an den Maßstäben seines – ernst gemeinten – vaterländischen Empfindens zu messen. So wollte er wie ein systemimmanenter Kritiker erscheinen, nicht wie ein Staatsfeind. Innerhalb dieser selbstgezogenen Koordinaten verkleinerte er nichts, redete vielmehr in so schneidender Schärfe, daß das Plädoyer einer Generalabrechnung glich.[257]

...Ich habe mich im Sinne von Kants kategorischem Imperativ gefragt, was geschähe, wenn diese subjektive Maxime meines Handelns ein allgemeines Gesetz würde. Darauf kann es nur eine Antwort geben. Dann würde Ordnung, Sicherheit, Vertrauen in unser Staatswesen, in unser politisches Leben zurückkehren. Jeder sittlich Verantwortliche würde mit uns seine Stimme erheben gegen die drohende Herrschaft der bloßen Macht über das Recht, der bloßen Willkür über den Willen des sittlich Guten...

Es gibt für alle äußere Legalität eine letzte Grenze, wo sie unwahrhaftig und unsittlich wird. Dann nämlich, wenn sie zum Deckmantel einer Feigheit wird, die sich nicht getraut, gegen offenkundige Rechtsverletzung aufzutreten. Ein Staat, der jegliche freie Meinungsäußerung unterbindet und jede, aber auch jede sittlich berechtigte Kritik, jeden Verbesserungsvorschlag als «Vorbereitung zum Hochverrat» unter die furchtbarsten Strafen stellt, bricht ein ungeschriebenes, deutsches, germanisches Recht, das «im gesunden Volksempfinden» noch immer lebendig war und lebendig bleiben muß.

...Ich setze für diese Mahnung, für diese beschwörende Bitte zur Rückkehr mein Leben ein. Ich fordere die Freiheit für unser deutsches Volk zurück. Wir wollen nicht in Sklavenketten unser kurzes Leben dahinfristen, und wären es goldene Ketten eines materiellen Überflusses.

...Sie haben mir den Rang und die Rechte des Professors und den «summa cum laude» erarbeiteten Doktorhut genommen und mich dem niedrig-

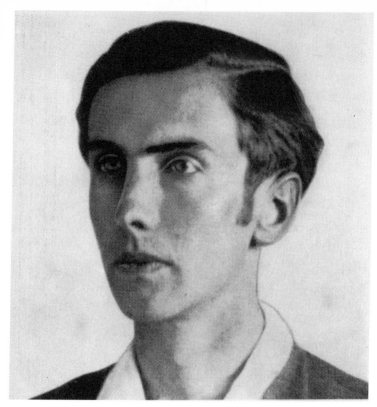

Alexander Schmorell. Gestapofoto

sten Verbrecher gleichgestellt. Die innere Würde des Hochschullehrers, des offenen, mutigen Bekenners seiner Welt- und Staatsanschauung kann mir kein Hochverratsverfahren rauben. Mein Handeln und Wollen wird der eherne Gang der Geschichte rechtfertigen; darauf vertraue ich felsenfest. Ich hoffe zu Gott, daß die geistigen Kräfte, die es rechtfertigen, rechtzeitig aus meinem eigenen Volke sich entbinden mögen. Ich habe gehandelt, wie ich aus einer inneren Stimme heraus handeln mußte. Ich nehme die Folgen auf mich nach dem schönen Worte Johann Gottlieb Fichtes:

> *Und handeln sollst du so, als hinge*
> *Von dir und deinem Tun allein*
> *Das Schicksal ab der deutschen Dinge,*
> *Und die Verantwortung wär' dein.*

Der Münchner Justizpalast, in dem die Prozesse gegen die Weiße Rose stattfanden

Die Kluft zwischen Beherrschten und Herrschenden im Spätstadium des Dritten Reiches könnte nicht klaffender gekennzeichnet werden als durch den Abstand zwischen der moralischen Höhe dieses Bekenntnisses im Angesicht des Todes und dem Verhandlungsstil einer vulgären, lärmenden und niederstampfenden Rachejustiz. Hätte man an jenem 19. April 1943 von erhöhtem zeithistorischem Aussichtspunkt den deutschen Machtraum überblicken können, man wäre einen Freiheitskampf an zwei Fronten gewahr geworden, einen mit Waffen und einen mit Worten. Im Warschauer Ghetto erhoben sich verzweifelte Aufständische unter der restlichen jüdischen Einwohnerschaft gegen die Liquidatoren der Polizei und Waffen-SS; im Münchner Justizpalast stand ein Philosoph auf gegen einen Liquidator in scharlachroter Robe. Das große Plädoyer ist der berühmtesten Vorgängerschaften würdig und ebenbürtig. Versammelte man in einem Band die stärksten Zeugnisse, die die Gewissensnot Einzelner in den Jahrhunderten hervorgepreßt hat, Kurt Huber dürfte nicht fehlen.

Die Todesurteile gegen die drei Hauptbelasteten standen wohl schon vorher fest, drei von 1662 dieses Jahres 1943 allein vor dem Volksgerichtshof. Die Waage schwankte nur bei Grimminger zwischen der Höchststrafe, wie sie zuletzt der Oberreichsanwalt beantragte, und den zehn Jahren Zuchthaus, die das Gericht dann verhängte. Hier hatte eine wohlgesonnene und geschickte Zeugenaussage das Schlimmste abgewendet. Im Gegensatz zur reinen Vernichtungsjustiz gegenüber den als hochgefährlich beurteilten Hauptangeklagten wurde auf der Ebene der so gesehenen Mitläuferschaft diesmal doch geprüft und gewogen, vor allem denen gegenüber, «dumme Jungens und dumme Mädels, durch die die Sicherheit des Reiches nicht ernstlich gefährdet ist»[258]. Bei dieser Gruppe bewegten die Strafmaße sich zwischen fünf Jahren und sechs Monaten Gefängnis. Als einziger kam Falk Harnack trotz der verwandtschaftlich lebensbedrohlichen Nähe zur Roten Kapelle mit einem Freispruch davon. In einem glückhaften Moment war es ihm gelungen, Freislers nationalistische Degenstöße in gleicher Weise zu parieren und obendrein das Führungszeugnis eines Generals vorzulegen – 1943 zählte so etwas noch.

Von diesem Gerichtssaal, wo Hitlers Herrschaft mit dem Strafgesetzbuch verteidigt wurde, spannten sich unsichtbare Verbindungsfäden zu seinen politischen Anfängen. Huber hatte den Historiker Karl Alexander von Müller als Entlastungszeugen benannt, jenen Münchner Professor, der 1919 mit als erster auf das rhetorische Naturtalent des aufstrebenden Politikers Hitler aufmerksam geworden war. Müller, wenngleich im Nationalgefühl eines Sinnes mit seinem Kollegen von derselben Fakultät, hielt es doch für geraten, lieber eine Dienstreise anzutreten, als für den befreundeten Angeklagten auszusagen.

Einen merkwürdigen historischen Kontakt zwischen dem späten Dritten Reich und der frühen Weimarer Republik stellt auch ein Absatz im Urteil her: «Wir fallen aber nicht in den Fehler des Weimarer Zwischenstaates zurück, der Hoch- und Landesverräter als Ehrenmänner ansah und als Überzeugungstäter auf Festungshaft schickte ...»[259] Dem Vorsitzenden war wohl beim Diktat dieses Satzes nicht gegenwärtig, daß er damit seinem Führer, dem Münchner Hochverräter von 1923 und Festungshäftling, nachträglich absprach, ein Ehrenmann gewesen zu sein.

Im Vergleich zur hysterischen Geschwindigkeit des ersten Verfahrens – vom Abfassen der Anklageschrift bis zur Strafvollstreckung verging ein Tag – ließ das zweite sich, wie gesagt, viel Zeit. Wohl zählte es einen ungleich größeren Personenkreis, so daß schon deshalb länger ermittelt werden mußte; doch sogar nach beendetem Prozeß wurde den zum Tode Verurteilten eine quälende Wartezeit auferlegt. Willi Graf hatte bei der Trennung von Falk Harnack am Urteilstag, nicht ahnend, was ihm beschieden, gefragt: *Falk, Du weißt ja von Deinem Bruder Bescheid. Wie lange dauert es denn nun bis zur Hinrichtung? Hoffentlich recht bald, denn das Warten ist entsetzlich.*[260] Von hier an währte das Warten fast ein halbes Jahr. Einem Schreiben nach, das die Berliner Staatsanwaltschaft an das Reichsjustizministerium richtete, sollte die Vollstreckung aufgeschoben werden, bis gegen Willi Bollinger hinreichend ermittelt sei. Ein unverhältnismäßiger Aufwand – von der Gefühlsroheit abgesehen – im Vergleich zu der Bagatellsache, die, zum Glück, am Ende verhandelt wurde. Das wahre Ausmaß von Bollingers Beteiligung blieb unerkannt. Mit drei Monaten Gefängnis kam er davon, am 3. April 1944.

Am 25. Juni 1943 lehnte Hitler die Gnadengesuche der Eltern Graf und Schmorell mit eigenhändiger Unterschrift ab; im Fall Huber ließ der Reichsjustizminister sein Begnadigungsrecht ungenutzt. Am 13. Juli schrieben Alexander und Professor Huber ihre Abschiedsbriefe. Alex an seine Eltern: *Für Euch ist dieser Schlag leider schwerer als für mich, denn ich gehe hinüber in dem Bewußtsein, meiner tiefen Überzeugung und der Wahrheit gedient zu haben.*[261] Sein Anwalt Siegfried Deisinger traf am Hinrichtungstag «einen Menschen an, der eben vorher die letzten Tröstungen seiner Religion empfangen und alles Irdische schon weit von sich geworfen hatte. Unvergeßlich sind mir seine Worte, die er fast heiter zu mir sprach: *Sie werden erstaunt sein, mich in dieser Stunde so ruhig anzutreffen. Aber ich kann Ihnen sagen, daß ich selbst dann, wenn Sie mir jetzt die Botschaft brächten, ein anderer, zum Beispiel der Wachtmeister hier, der mich zu bewachen hat, sollte für mich sterben, ich trotzdem den Tod wählen würde. Denn ich bin jetzt überzeugt, daß mein Leben, so früh es auch erscheinen mag, in dieser Stunde beendet sein muß, da ich durch meine Tat meine Lebensaufgabe erfüllt habe. Ich wüßte nicht, was ich noch auf dieser Welt zu tun hätte, auch wenn ich jetzt entlassen würde.»*[262]

Kurt Huber arbeitete bis zum Todestag an seinem Werk über Leibniz, besorgt, es unfertig zurücklassen zu müssen (es erschien 1951). Der katholische Gefängnisgeistliche Pfarrer Ferdinand Brinkmann fragte sich, woher dieser Mann die Kraft nehme, noch in der Todeszelle über einen Philosophen zu schreiben, der diese Welt als die beste aller möglichen bezeichnet hatte. «Wenn ich ihn in der engen Zelle am kleinen Tisch arbeiten sah, den sicheren Tod vor Augen, aber trotzdem die Feder, seine gefährliche Waffe, emsig und sicher über das Papier führend, dann war mir das ein erschütterndes Bild von der geistigen Situation Deutschlands: Der Geist war eingekerkert und zum Tode verurteilt.»[263]

Als noch zwei Kapitel fehlten, beantragte Huber mit bewundernswerter Seelenstärke, ihm Vollstreckungsaufschub zu gewähren; der wurde abgelehnt. An die Möglichkeit einer Begnadigung hatte er ohnehin nicht geglaubt und dem Pfarrer, als er entsprechende Hoffnungen äußerte, entgegnet: *Da kennen Sie die Bande schlecht.*[264] In seinen letzten Zeilen an die Familie fand er aus seinem Glauben heraus die Worte: *Weint nicht um mich – ich bin glücklich und geborgen.* Und: *Freut Euch mit mir! Ich darf*

```
DER   FÜHRER                    Führerhauptquartier, den 25.Juni 1943.


    An den
        Chef des Oberkommandos der Wehrmacht.



    Betr.: Gnadensache der wegen Hochverrats,
           Feindbegünstigung und Zersetzung der
           Wehrkraft vom Volksgerichtshof, 1.Senat
           am 19. April 1943 zum Tode Verurteilten
           Sanitätsfeldwebel Alexander S c h m o r e l l
                       und  Wilhelm   G r a f.
           von der 2. Studentenkompanie München.




                    Ich lehne einen Gnadenerweis ab.


                              ╫   ⟋⟋⟋

                    Der Chef des Oberkommandos der Wehrmacht
```

Hitlers Ablehnung des Gnadengesuchs
für Alexander Schmorell und Willi Graf

*für mein Vaterland, für ein gerechtes und schöneres Vaterland, das be-
stimmt aus diesem Krieg hervorgehen wird, sterben.*[265]

War es Zufall, daß genau an diesem 13. Juli zum drittenmal über den
Tatkomplex «Weiße Rose» verhandelt wurde? Ein Sondergericht in
München verurteilte Josef Söhngen zu sechs Monaten Gefängnis und
sprach die drei anderen Angeklagten mangels Beweisen frei: Probsts
Schwiegervater Harald Dohrn (später dennoch ein Opfer des Systems),
den Maler Wilhelm Geyer und Manfred Eickemeyer.

Name: Gef.-B.-Nr.   München, den 12. X. 43
Stadelheimerstraße 12

Meine geliebten Eltern, meine liebe Mathilde u. Anneliese

an diesem Tag werde ich aus dem Leben scheiden und in die Ewigkeit gehen. Vor allem schmerzt es mich, daß ich Euch, die Ihr weiterleben werdet, diesen Schmerz bereiten muß. Aber Trost und Stärke findet Ihr bei Gott, darum werde ich bis zum letzten Augenblick beten, denn ich weiß, daß es für Euch schwerer sein wird als für mich. Ich bitte Euch, Vater und Mutter von Herzen, mir zu verzeihen, was ich Euch an Leid und Enttäuschung zugefügt habe, ich habe oft und gerade zuletzt im Gefängnis bereut, was ich Euch angetan habe. Verzeiht mir und betet immer wieder für mich! Behaltet mich in gutem Andenken! Seid stark und gefaßt und vertraut auf Gottes Hand, der Alles zum Besten lenkt, wenn es auch im Augenblick bitteren Schmerz bereitet. Wie sehr ich Euch geliebt habe, konnte ich Euch im Leben nicht sagen, nun aber, in den letzten Stunden sage ich Euch, leider nur auf diesem nüchternen Papier, daß ich Euch Alle von Herzen liebe und Euch verehrt habe. Für Alles, was Ihr mir im Leben geboten habt und was Ihr mir durch Eure Fürsorge und Liebe ermöglicht habt. Schließt Ihr übrigen Euch zusammen und stehet in Liebe und Vertrauen zueinander! Die Liebe Gottes hält uns umfaßt und wir vertrauen Seiner Gnade, möge Er uns ein gütiger Richter sein. Mein letzter Gruß Euch Allen, lieber Vater und geliebte Mutter, Mathilde, Ossy, Anneliese, Joachim, alle Verwandten und Freunde. Gottes Segen über uns, in Ihm sind wir und leben wir. Lebet wohl und seid stark und voller Gottvertrauen! Ich bin in Liebe immer
Euer Willi

30.8.43 5086

Brief von Willi Graf aus dem Gefängnis, geschrieben am 12. Oktober 1943, dem Tag seiner Hinrichtung

Willi Graf mußte seinen Ausspruch von 1941, daß *das Christwerden vielleicht das allerschwerste* und höchstens beim Tode zu erreichen sei[266], auf bitterschwere Weise beglaubigen – und hatte die Größe dazu. In den langen Monaten seiner Haft, zuletzt als einzig noch Lebender der sechs, widerstand er der seelischen Tortur, in welcher ihm abwechselnd die Aussicht vorgegaukelt wurde, mit dem Leben davonzukommen, oder gedroht, daß sein Sterben erschwert werde; so wollte die Geheime Staatspolizei ihn moralisch weichkneten, damit er Mittäter und Mitwissende verrate. Willi Graf schwieg, in der Überzeugung sowohl daß es *richtig war, was ich und meine Freunde getan haben*[267], als auch in einem unerschütterlichen Gottvertrauen. Es spricht aus allen Briefen seiner letzten Lebensmonate; seit Mai 1943 ebenso die Freude über die Geburt des Neffen Joachim, Sohn der älteren Schwester Mathilde: *...es ist doch wie ein Ausgleich, eine Entschädigung.*[268] Im letzten Brief, den Kaplan Heinrich Sperr aus dem Gefängnis schmuggelte, lasen seine Angehörigen: *... daß ich nicht leichtsinnig gehandelt habe, sondern daß ich aus tiefster Sorge und dem Bewußtsein der ernsten Lage gehandelt habe.*[269] Ein anderer Brief sprach die Bitte aus: *Behaltet mich in gutem Andenken!*[270]

Die entsetzliche Pedanterie, mit welcher der deutsche Ordnungssinn in der Diktatur auch noch die schaurigsten Verrichtungen buchhalterisch aufbewahrte, ließ den Oberstaatsanwalt beim Landgericht München I nach Berlin melden: «Der Hinrichtungsvorgang dauerte vom Verlassen der Zelle an gerechnet 1 Minute 11 Sekunden, von der Übergabe an den Scharfrichter bis zum Fall des Beiles 11 Sekunden.»[271]

Nachdem Willi Graf in der Nähe seiner zuvor hingerichteten Gefährten beigesetzt war, bekam Vater Gerhard Graf für den «am 12.10.43 hier verstorbenen Graf Wilhelm die nachstehend aufgeführte Habe übersandt: 1 Taschenuhr»[272].

Widerstand – hanseatisch

Das Gewissen ist der innere Gerichtshof des Menschen, schrieb Kant. Einmal erwacht, fürchtet es kein äußeres Gericht, nicht dessen umdrohende Zuträger und Spitzel, nicht dessen Strafen. Den Charme und die Unbedingtheit der Jugend zeichnet aus, daß sie jedesmal den ganzen Einsatz wagt, ohne zu berechnen, ohne Rückhalt. Diese Absolutheit des reinen Wollens ist wie vom Geiste der Liebe im 1. Korintherbrief: «sie verträgt alles, sie glaubet alles, sie hoffet alles, sie duldet alles». Und: Sie findet immer neue Verbündete im Meer der Gleichgültigkeit, der Angepaßtheit, auch der Deckung suchenden Furcht (die jeder versteht, der Diktaturen kennt).

Unter den Spielarten des Nationalsozialismus war die hamburgische keine milde, aber eine mildere. Der Radikalismus und die Banausennatur eines Giesler hätten sich hier kaum durchgesetzt. Dafür ließ Hamburgs Universität sich 26 Jahre Zeit, bis 1971, um erstmals öffentlich seiner NS-Opfer aus der Studentenschaft zu gedenken.

Die Abwehr gegen das Regime hatte in Hamburg unter anderem eine Variante hervorgebracht, die – eine ganz seltene Form – Widerwillen mit Witz verband. Am Tag nach der Pogromnacht vom 9. zum 10. November 1938 räumte der Buchhändler Felix Jud an den Colonnaden sein gesamtes Schaufenster aus und stellte nur ein einziges Buch hinein: die Südseereisebilder von Richard Katz aus dem Jahre 1929, «Heitere Tage mit braunen Menschen»[273]. Widerstand – hanseatisch. Jud, der übrigens kein Jude war, wurde 1944 zu einer Zuchthausstrafe verurteilt wegen seines großzügigen Umgangs mit verbotener Literatur, die er in Kisten im Keller aufbewahrte und zum alten Listenpreis an Vertrauenswürdige verkaufte. Das kam heraus, als einer seiner Kunden in der Gestapohaft unter Druck seine Verbindungen eingestand: Heinz Kucharski. Er hatte ebenso wie Traute Lafrenz und die vor Kriegsende umgekommene Margaretha Rothe der Hamburger Lichtwark-Schule angehört. Deren reformpädagogische Qualitäten werden von ihren einstigen Schülern, darunter Helmut Schmidt, rühmend erinnert. Jene drei anderen gingen in ein und dieselbe Klasse, geleitet bis 1935 von Erna Stahl. Die regimefeindliche Studienrätin veranstaltete noch Jahre nach ihrer Versetzung private Leseabende mit diesem Schülerkreis.

Beim Namen Lafrenz schimmert ein roter Faden aus dem Beziehungsgeflecht, welches Hamburg und München verband. Tatsächlich lief eine der beiden maßgeblichen Verbindungslinien zwischen dem Münchner Widerstand und den hamburgischen Regimegegnern über diese werdende Medizinerin. Nachdem sie 1939 bei einem Ernteeinsatz in Pommern Alexander Schmorell kennengelernt hatte, wechselte sie 1941 nach München, geriet in den Scholl-Kreis und brachte im Herbst 1942 ein Exemplar des dritten Flugblattes in ihre Heimatstadt. Das bekam später nicht einmal die Freisler-Justiz heraus. So entging Traute Lafrenz knapp dem Anklagepunkt Hochverrat. Das Flugblatt löste in ihrem Hamburger Freundeskreis Erregung aus.

Dieser Kreis gruppierte sich zum Teil um Reinhold Meyer, Germanistik-Student und Juniorchef der Buch- und Kunsthandlung «Agentur des Rauhen Hauses». Im Keller des Hauses am Jungfernstieg trafen sich damals regelmäßig Regimegegner, wobei Meyer neben ständigen Teilnehmern wie Kucharski, Margaretha Rothe und Albert Suhr auch viele wechselnde bei sich sah. Zusammen lasen sie Bücher verfemter Autoren, diskutierten über «entartete» Kunst, von der manches in gewagten Aus-

Reinhold Meyer

Postkarte von Reinhold Meyer aus dem KZ Neuengamme an seine Familie

stellungen in den oberen Räumen zu sehen war, hörten verbotene Auslandssender und schmiedeten Pläne über die Zeit «danach». Jedenfalls, im Keller war zu einem guten Teil «das andere Hamburg» versammelt.[274]

Die Hamburger Systemgegner – hier und in anderen Zirkeln – bildeten «keine festgefügte Widerstandsgruppe mit einer formulierten Zielsetzung und einem bestimmten Programm für illegale Aktionen. Es war eher eine lockere Gruppierung Gleichgesinnter», danach strebend, «aus einer mehr unverbindlichen, sich passiv resistent verhaltenden Gemeinschaft eine Widerstandsgruppe nach dem Leitbild der Geschwister Scholl werden zu lassen»[275]. Aber es blieb beim Willen. Schriftstücke wurden zwar verfaßt, jedoch nach dem Krieg nicht mehr aufgefunden. Der Ausdruck vom «Hamburger Zweig der Weißen Rose» ist erst nachträglich entstanden und hat sich durchgesetzt. «Für sich selber hatten sie keine Bezeichnung.»[276]

Immerhin lief aber noch ein zweiter Verbindungsstrang von Hamburg zum «eigentlichen» Handlungsort der Weißen Rose – und zurück. Kucharski, der Nichtmediziner, der weltanschaulich von allen am weitesten links stand[277], hatte an der Universität in Hamburg den Chemie-Studenten Hans Leipelt kennengelernt und ihn politisch beeinflußt. Leipelt, mütterlicherseits aus jüdischem Elternhaus, nach dem Frankreich-Feldzug als «nichtarisch» aus der Wehrmacht entlassen, ging zum Wintersemester 1941/42 nach München.

Das Chemische Institut galt dort als Zufluchtsstätte für rassisch Verfolgte beziehungsweise Diskriminierte. Sein Direktor Geheimrat Heinrich Wieland brachte so viele «Halbjuden» wie möglich bei sich unter. Höhere Prozentanteile jüdischen Blutes, nach der Nürnberger Rassenchemie, waren dem Chemie-Nobelpreisträger von 1927 an seiner Arbeitsstätte verwehrt, weil Juden seit der «Reichskristallnacht» Schulen und Hochschulen nicht mehr besuchen durften.

Leipelt und seine ostpreußische Kommilitonin Marie-Luise Jahn schrieben das sechste Flugblatt, in dessen Besitz er gelangt war, immer wieder ab, um es zu verbreiten, und brachten es bei erster Gelegenheit auch nach Hamburg. Zum menschlich nützlichsten Bemühen in den Münchner und Hamburger Nachfolgegruppen der ursprünglichen Weißen Rose gediehen die Geldsammlungen für die mittellos gewordene Witwe Clara Huber, die obendrein, gemäß der niederträchtigen finanziellen Sippenschaft, die Kosten der Hinrichtung ihres Mannes auferlegt bekam. Aber Leipelt, als einer der Urheber der Überlebenshilfe, wurde denunziert und kam vier Tage vor dem Tod Willi Grafs in Haft. Inzwischen hatte die Gestapo die Hamburger Gesinnungsfreunde durch einen Spitzel unterwandert. Dort begannen die Verhaftungen im November 1943.

Leipelt, dessen Mutter sich durch Freitod dem Transport nach Ausch-

Hans Leipelt

witz entzog, stand ein Jahr nach der Festnahme, am 13. Oktober 1944, vor dem Volksgerichtshof. Der tagte in Donauwörth; daß die Weiße Rose Nachfolger gefunden hatte, sollte den Münchnern wohl verschwiegen werden.[278] Die Zeugenaussage des Gelehrten Wieland zugunsten seines Schülers verhinderte nicht das Todesurteil. Da Leipelt, laut Urteilsschrift, seine Umgebung staatsfeindlich zu beeinflussen versucht habe, auch durch Abhören von Feindsendern, stürzte er über die Paragraphen-Fußangeln Feindbegünstigung, Wehrkraftzersetzung, Hochverrat. Sein Zellenkamerad in Stadelheim, Todeskandidat wie er, dennoch davongekommen, schrieb später: «Der 23jährige half mir über viele schwere Stunden hinweg.»[279] Dieser Ehrenbrief reiht sich würdig unter die Zeugnisse der Charakterstärke der sechs Vorausgegangenen. Leipelts Hinrichtung am 29. Januar 1945 beendete die Nachblüte der Weißen Rose in München. Das Mahnmal im Lichthof der Universität zählt ihn gerechterweise diesem Sinnbild und ihren bekannteren Opfern zu.

Die Hamburger Prozesse gerieten schon in die Schlußphase des Kriegs. Heinz Kucharski, am 17. April zum Tode verurteilt, entging der Hinrichtung in Mecklenburg, weil er in der Nacht zum 21. April während eines Tieffliegerangriffs aus dem Gefangenentransport fliehen konnte. Der Wehrmacht-Bericht meldete am nächsten Tag: «... Die aus der Lüneburger Heide nach Norden angreifenden britischen Divisionen erreichten auf breiter Front die Elbe...»

Gedenkplatte für die Weiße Rose
im Auditorium Maximum der Universität Hamburg

Die Flugblätter

Flugblätter der Weißen Rose

1

Nichts ist eines Kulturvolkes unwürdiger, als sich ohne Widerstand von einer verantwortungslosen und dunklen Trieben ergebenen Herrscher-clique «regieren» zu lassen. Ist es nicht so, daß sich jeder ehrliche Deut-sche heute seiner Regierung schämt, und wer von uns ahnt das Ausmaß der Schmach, die über uns und unsere Kinder kommen wird, wenn einst der Schleier von unseren Augen gefallen ist und die grauenvollsten und jegliches Maß unendlich überschreitenden Verbrechen ans Tageslicht treten? Wenn das deutsche Volk schon so in seinem tiefsten Wesen kor-rumpiert und zerfallen ist, daß es, ohne eine Hand zu regen, im leichtsin-nigen Vertrauen auf eine fragwürdige Gesetzmäßigkeit der Geschichte das Höchste, das ein Mensch besitzt und das ihn über jede andere Krea-tur erhöht, nämlich den freien Willen, preisgibt, die Freiheit des Men-schen preisgibt, selbst mit einzugreifen in das Rad der Geschichte und es seiner vernünftigen Entscheidung unterzuordnen – wenn die Deutschen, so jeder Individualität bar, schon so sehr zur geistlosen und feigen Masse geworden sind, dann, ja dann verdienen sie den Untergang. Goethe spricht von den Deutschen als einem tragischen Volke, gleich dem der Juden und Griechen, aber heute hat es eher den Anschein, als sei es eine seichte, willenlose Herde von Mitläufern, denen das Mark aus dem Inner-sten gesogen und die nun ihres Kernes beraubt, bereit sind, sich in den Untergang hetzen zu lassen. Es scheint so – aber es ist nicht so; vielmehr hat man in langsamer trügerischer, systematischer Vergewaltigung jeden einzelnen in ein geistiges Gefängnis gesteckt, und erst als er darin gefes-selt lag, wurde er sich des Verhängnisses bewußt. Wenige nur erkannten das drohende Verderben, und der Lohn für ihr heroisches Mahnen war der Tod. Über das Schicksal dieser Menschen wird noch zu reden sein.

Wenn jeder wartet, bis der andere anfängt, werden die Boten der rächenden Nemesis unaufhaltsam näher und näher rücken, dann wird auch das letzte Opfer sinnlos in den Rachen des unersättlichen Dämons geworfen sein. Daher muß jeder einzelne seiner Verantwortung als Mitglied der christlichen und abendländischen Kultur bewußt in dieser letzten Stunde sich wehren, soviel er kann, arbeiten wider die Geißel der Menschheit, wider den Faschismus und jedes ihm ähnliche System des absoluten Staates. Leistet passiven Widerstand – Widerstand –, wo immer Ihr auch seid, verhindert das Weiterlaufen dieser atheistischen Kriegsmaschine, ehe es zu spät ist, ehe die letzten Städte ein Trümmerhaufen sind, gleich Köln, und ehe die letzte Jugend des Volkes irgendwo für die Hybris eines Untermenschen verblutet ist. Vergeßt nicht, daß ein jedes Volk diejenige Regierung verdient, die es erträgt!

Aus Friedrich Schiller, «Die Gesetzgebung des Lykurgus und Solon»: «...Gegen seinen eigenen Zweck gehalten, ist die Gesetzgebung des Lykurgus ein Meisterstück der Staats- und Menschenkunde. Er wollte einen mächtigen, in sich selbst gegründeten, unzerstörbaren Staat; politische Stärke und Dauerhaftigkeit waren das Ziel, wonach er strebte, und dieses Ziel hat er so weit erreicht, als unter seinen Umständen möglich war. Aber hält man den Zweck, welchen Lykurgus sich vorsetzte, gegen den Zweck der Menschheit, so muß eine tiefe Mißbilligung an die Stelle der Bewunderung treten, die uns der erste, flüchtige Blick abgewonnen hat. Alles darf dem Besten des Staates zum Opfer gebracht werden, nur dasjenige nicht, dem der Staat selbst nur als ein Mittel dient. Der Staat selbst ist niemals Zweck, er ist nur wichtig als eine Bedingung, unter welcher der Zweck der Menschheit erfüllt werden kann, und dieser Zweck der Menschheit ist kein anderer als Ausbildung aller Kräfte des Menschen, Fortschreitung. Hindert eine Staatsverfassung, daß alle Kräfte, die im Menschen liegen, sich entwickeln; hindert sie die Fortschreitung des Geistes, so ist sie verwerflich und schädlich, sie mag übrigens noch so durchdacht und in ihrer Art noch so vollkommen sein. Ihre Dauerhaftigkeit selbst gereicht ihr alsdann viel mehr zum Vorwurf als zum Ruhme – sie ist dann nur ein verlängertes Übel; je länger sie Bestand hat, um so schädlicher ist sie.

...Auf Unkosten aller sittlichen Gefühle wurde das politische Verdienst errungen und die Fähigkeit dazu ausgebildet. In Sparta gab es keine eheliche Liebe, keine Mutterliebe, keine kindliche Liebe, keine Freundschaft – es gab nichts als Bürger, nichts als bürgerliche Tugend.

...Ein Staatsgesetz machte den Spartanern die Unmenschlichkeit gegen ihre Sklaven zur Pflicht; in diesen unglücklichen Schlachtopfern wurde die Menschheit beschimpft und mißhandelt. In dem spartanischen Gesetzbuch selbst wurde der gefährliche Grundsatz gepredigt, Menschen als

Mittel und nicht als Zwecke zu betrachten – dadurch wurden die Grundfesten des Naturrechts und der Sittlichkeit gesetzmäßig eingerissen.

... Welch schöneres Schauspiel gibt der rauhe Krieger Gaius Marcius in seinem Lager vor Rom, der Rache und Sieg aufopfert, weil er die Tränen der Mutter nicht fließen sehen kann!

...Der Staat» (des Lykurgus) «könnte nur unter der einzigen Bedingung fortdauern, wenn der Geist des Volks stillstünde; er könnte sich also nur dadurch erhalten, daß er den höchsten und einzigen Zweck eines Staates verfehlte.»

Aus Goethes «Des Epimenides Erwachen», zweiter Aufzug, vierter Auftritt:

Genien:
Doch was dem Abgrund kühn entstiegen,
Kann durch ein ehernes Geschick
Den halben Weltkreis übersiegen,
Zum Abgrund muß es doch zurück.
Schon droht ein ungeheures Bangen,
Vergebens wird er widerstehn!
Und alle, die noch an ihm hangen,
Sie müssen mit zu Grunde gehn.

Hoffnung:
Nun begegn' ich meinen Braven,
Die sich in der Nacht versammelt,
Um zu schweigen, nicht zu schlafen,
Und das schöne Wort der Freiheit
Wird gelispelt und gestammelt,
Bis in ungewohnter Neuheit
Wir an unsrer Tempel Stufen
Wieder neu entzückt es rufen:
Freiheit! Freiheit!

Wir bitten Sie, dieses Blatt mit möglichst vielen Durchschlägen abzuschreiben und weiterzuverteilen!

Flugblätter der Weißen Rose

2

Man kann sich mit dem Nationalsozialismus geistig nicht auseinandersetzen, weil er ungeistig ist. Es ist falsch, wenn man von einer nationalsozialistischen Weltanschauung spricht, denn wenn es diese gäbe, müßte man versuchen, sie mit geistigen Mitteln zu beweisen oder zu bekämpfen – die Wirklichkeit aber bietet uns ein völlig anderes Bild: schon in ihrem ersten Keim war diese Bewegung auf den Betrug des Mitmenschen angewiesen, schon damals war sie im Innersten verfault und konnte sich nur durch die stete Lüge retten. Schreibt doch Hitler selbst in einer frühen Auflage «seines» Buches (ein Buch, das in dem übelsten Deutsch geschrieben worden ist, das ich je gelesen habe; dennoch ist es von dem Volke der Dichter und Denker zur Bibel erhoben worden): «Man glaubt nicht, wie man ein Volk betrügen muß, um es zu regieren.» Wenn sich nun am Anfang dieses Krebsgeschwür des deutschen Volkes noch nicht allzusehr bemerkbar gemacht hatte, so nur deshalb, weil noch gute Kräfte genug am Werk waren, es zurückzuhalten. Wie es aber größer und größer wurde und schließlich mittels einer letzten gemeinen Korruption zur Macht kam, das Geschwür gleichsam aufbrach und den ganzen Körper besudelte, versteckte sich die Mehrzahl der früheren Gegner, flüchtete die deutsche Intelligenz in ein Kellerloch, um dort als Nachtschattengewächs, dem Licht und der Sonne verborgen, allmählich zu ersticken. Jetzt stehen wir vor dem Ende. Jetzt kommt es darauf an, sich gegenseitig wiederzufinden, aufzuklären von Mensch zu Mensch, immer daran zu denken und sich keine Ruhe zu geben, bis auch der Letzte von der äußersten Notwendigkeit seines Kampfes wider dieses System überzeugt ist. Wenn so eine Welle des Aufruhrs durch das Land geht, wenn «es in der Luft liegt», wenn viele mitmachen, dann kann in einer letzten, gewaltigen Anstrengung dieses System abgeschüttelt werden. Ein Ende mit Schrecken ist immer noch besser als ein Schrecken ohne Ende.

Es ist uns nicht gegeben, ein endgültiges Urteil über den Sinn unserer Geschichte zu fällen. Aber wenn diese Katastrophe uns zum Heile dienen soll, so doch nur dadurch: durch das Leid gereinigt zu werden, aus der tiefsten Nacht heraus das Licht zu ersehen, sich aufzuraffen und endlich mitzuhelfen, das Joch abzuschütteln, das die Welt bedrückt.

Nicht über die Judenfrage wollen wir in diesem Blatte schreiben, keine Verteidigungsrede verfassen – nein, nur als Beispiel wollen wir die Tatsache kurz anführen, die Tatsache, daß seit der Eroberung Polens dreihunderttausend Juden in diesem Land auf bestialischste Art ermordet worden sind. Hier sehen wir das fürchterlichste Verbrechen an der Würde des

Menschen, ein Verbrechen, dem sich kein ähnliches in der ganzen Menschengeschichte an die Seite stellen kann. Auch die Juden sind doch Menschen – man mag sich zur Judenfrage stellen wie man will –, und an Menschen wurde solches verübt. Vielleicht sagt jemand, die Juden hätten ein solches Schicksal verdient; diese Behauptung wäre eine ungeheure Anmaßung; aber angenommen, es sagte jemand dies, wie stellt er sich dann zu der Tatsache, daß die gesamte polnische adlige Jugend vernichtet worden ist (gebe Gott, daß sie es noch nicht ist!)? Auf welche Art, fragen Sie, ist solches geschehen? Alle männlichen Sprößlinge aus adeligen Geschlechtern zwischen 15 und 20 Jahren wurden in Konzentrationslagern nach Deutschland zu Zwangsarbeit, alle Mädchen gleichen Alters nach Norwegen in die Bordelle der SS verschleppt! Wozu wir dies Ihnen alles erzählen, da Sie es schon selber wissen, wenn nicht diese, so andere gleich schwere Verbrechen des fürchterlichen Untermenschentums? Weil hier eine Frage berührt wird, die uns alle zutiefst angeht und allen zu denken geben muß. Warum verhält sich das deutsche Volk angesichts all dieser scheußlichsten, menschenunwürdigsten Verbrechen so apathisch? Kaum irgend jemand macht sich Gedanken darüber. Die Tatsache wird als solche hingenommen und ad acta gelegt. Und wieder schläft das deutsche Volk in seinem stumpfen, blöden Schlaf weiter und gibt diesen faschistischen Verbrechern Mut und Gelegenheit, weiterzuwüten – und diese tun es. Sollte dies ein Zeichen dafür sein, daß die Deutschen in ihren primitivsten menschlichen Gefühlen verroht sind, daß keine Saite in ihnen schrill aufschreit, im Angesicht solcher Taten, daß sie in einen tödlichen Schlaf versunken sind, aus dem es kein Erwachen mehr gibt, nie, niemals? Es scheint so und ist es bestimmt, wenn der Deutsche nicht endlich aus dieser Dumpfheit auffährt, wenn er nicht protestiert, wo immer er nur kann, gegen diese Verbrecherclique, wenn er mit diesen Hunderttausenden von Opfern nicht mitleidet. Und nicht nur Mitleid muß er empfinden, nein, noch viel mehr: Mitschuld. Denn er gibt durch sein apathisches Verhalten diesen dunklen Menschen erst die Möglichkeit, so zu handeln, er leidet diese «Regierung», die eine so unendliche Schuld auf sich geladen hat, ja, er ist doch selbst schuld daran, daß sie überhaupt entstehen konnte! Ein jeder will sich von einer solchen Mitschuld freisprechen, ein jeder tut es und schläft dann wieder mit ruhigstem, bestem Gewissen. Aber er kann sich nicht freisprechen, ein jeder ist schuldig, schuldig, schuldig! Doch ist es noch nicht zu spät, diese abscheulichste aller Mißgeburten von Regierungen aus der Welt zu schaffen, um nicht noch mehr Schuld auf sich zu laden. Jetzt, da uns in den letzten Jahren die Augen vollkommen geöffnet worden sind, da wir wissen, mit wem wir es zu tun haben, jetzt ist es allerhöchste Zeit, diese braune Horde auszurotten. Bis zum Ausbruch des Krieges war der größte Teil des deutschen Volkes geblendet, die Nationalsozialisten zeigten sich nicht in ihrer wahren Gestalt, doch jetzt, da man sie erkannt hat, muß es die einzige und höchste Pflicht, ja heiligste Pflicht eines jeden Deutschen sein, diese Bestien zu vertilgen.

«Der, des Verwaltung unauffällig ist, des Volk ist froh. Der, des Verwaltung aufdringlich ist, des Volk ist gebrochen.

Elend, ach, ist es, worauf Glück sich aufbaut. Glück, ach, verschleiert nur Elend. Wo soll das hinaus? Das Ende ist nicht abzusehen. Das Geordnete verkehrt sich in Unordnung, das Gute verkehrt sich in Schlechtes. Das Volk gerät in Verwirrung. Ist es nicht so, täglich, seit langem?

Daher ist der Hohe Mensch rechteckig, aber er stößt nicht an, er ist kantig, aber verletzt nicht, er ist aufrecht, aber nicht schroff. Er ist klar, aber will nicht glänzen.»

Lao-tse

«Wer unternimmt, das Reich zu beherrschen und es nach seiner Willkür zu gestalten; ich sehe ihn sein Ziel nicht erreichen; das ist alles.»

«Das Reich ist ein lebendiger Organismus; es kann nicht gemacht werden, wahrlich! Wer daran machen will, verdirbt es, wer sich seiner bemächtigen will, verliert es.»

Daher: «Von den Wesen gehen manche voraus, andere folgen ihnen, manche atmen warm, manche kalt, manche sind stark, manche schwach, manche erlangen Fülle, andere unterliegen.»

«Der Hohe Mensch daher läßt ab von Übertriebenheit, läßt ab von Überhebung, läßt ab von Übergriffen.»

Lao-tse

Wir bitten, diese Schrift mit möglichst vielen Durchschlägen abzuschreiben und weiterzuverteilen.

Flugblätter der Weißen Rose

3

«Salus publica suprema lex»

Alle idealen Staatsformen sind Utopien. Ein Staat kann nicht rein theoretisch konstruiert werden, sondern er muß ebenso wachsen, reifen wie der einzelne Mensch. Aber es ist nicht zu vergessen, daß am Anfang einer jeden Kultur die Vorform des Staates vorhanden war. Die Familie ist so alt wie die Menschen selbst, und aus diesem anfänglichen Zusammensein hat sich der vernunftbegabte Mensch einen Staat geschaffen, dessen

Grund die Gerechtigkeit und dessen höchstes Gesetz das Wohl Aller sein soll. Der Staat soll eine Analogie der göttlichen Ordnung darstellen, und die höchste aller Utopien, die civitas dei, ist das Vorbild, dem er sich letzten Endes nähern soll. Wir wollen hier nicht urteilen über die verschiedenen möglichen Staatsformen, die Demokratie, die konstitutionelle Monarchie, das Königtum usw. Nur eines will eindeutig und klar herausgehoben werden: jeder einzelne Mensch hat einen Anspruch auf einen brauchbaren und gerechten Staat, der die Freiheit des einzelnen als auch das Wohl der Gesamtheit sichert. Denn der Mensch soll nach Gottes Willen frei und unabhängig im Zusammenleben und Zusammenwirken der staatlichen Gemeinschaft sein natürliches Ziel, sein irdisches Glück in Selbständigkeit und Selbsttätigkeit zu erreichen suchen.

Unser heutiger «Staat» aber ist die Diktatur des Bösen. «Das wissen wir schon lange», höre ich Dich einwenden, «und wir haben es nicht nötig, daß uns dies hier noch einmal vorgehalten wird.» Aber, frage ich Dich, wenn Ihr das wißt, warum regt Ihr Euch nicht, warum duldet Ihr, daß diese Gewalthaber Schritt für Schritt offen und im verborgenen eine Domäne Eures Rechts nach der anderen rauben, bis eines Tages nichts, aber auch gar nichts übrigbleiben wird als ein mechanisiertes Staatsgetriebe, kommandiert von Verbrechern und Säufern? Ist Euer Geist schon so sehr der Vergewaltigung unterlegen, daß Ihr vergeßt, daß es nicht nur Euer Recht, sondern Eure sittliche Pflicht ist, dieses System zu beseitigen? Wenn aber ein Mensch nicht mehr die Kraft aufbringt, sein Recht zu fordern, dann muß er mit absoluter Notwendigkeit untergehen. Wir würden es verdienen, in alle Welt verstreut zu werden wie der Staub vor dem Winde, wenn wir uns in dieser zwölften Stunde nicht aufrafften und endlich den Mut aufbrächten, der uns seither gefehlt hat. Verbergt nicht Eure Feigheit unter dem Mantel der Klugheit. Denn mit jedem Tag, da Ihr noch zögert, da Ihr dieser Ausgeburt der Hölle nicht widersteht, wächst Eure Schuld gleich einer parabolischen Kurve höher und immer höher.

Viele, vielleicht die meisten Leser dieser Blätter sind sich darüber nicht klar, wie sie einen Widerstand ausüben sollen. Sie sehen keine Möglichkeiten. Wir wollen versuchen, ihnen zu zeigen, daß ein jeder in der Lage ist, etwas beizutragen zum Sturz dieses Systems. Nicht durch individualistische Gegnerschaft, in der Art verbitterter Einsiedler, wird es möglich werden, den Boden für einen Sturz dieser «Regierung» reif zu machen oder gar den Umsturz möglichst bald herbeizuführen, sondern nur durch die Zusammenarbeit vieler überzeugter, tatkräftiger Menschen, Menschen, die sich einig sind, mit welchen Mitteln sie ihr Ziel erreichen können. Wir haben keine reiche Auswahl an solchen Mitteln, nur ein einziges steht uns zur Verfügung – der passive Widerstand.

Der Sinn und das Ziel des passiven Widerstandes ist, den Nationalsozialismus zu Fall zu bringen, und in diesem Kampf ist vor keinem Weg, vor keiner Tat zurückzuschrecken, mögen sie auf Gebieten liegen, auf welchen sie auch wollen. An allen Stellen muß der Nationalsozialismus angegriffen werden, an denen er nur angreifbar ist. Ein Ende muß diesem Unstaat bald bereitet werden – ein Sieg des faschistischen Deutschland in diesem Kriege hätte unabsehbare, fürchterliche Folgen. Nicht der militärische Sieg über den Bolschewismus darf die erste Sorge für jeden Deutschen sein, sondern die Niederlage der Nationalsozialisten. Dies muß unbedingt an erster Stelle stehen. Die größere Notwendigkeit dieser letzten Forderung werden wir Ihnen in einem unserer nächsten Blätter beweisen.

Und jetzt muß sich jeder entschiedene Gegner des Nationalsozialismus die Frage vorlegen: Wie kann er gegen den gegenwärtigen «Staat» am wirksamsten ankämpfen, wie ihm die empfindlichsten Schläge beibringen? Durch den passiven Widerstand – zweifellos. Es ist klar, daß wir unmöglich für jeden einzelnen Richtlinien für sein Verhalten geben können, nur allgemein andeuten können wir, den Weg zur Verwirklichung muß jeder selber finden.

Sabotage in Rüstungs- und kriegswichtigen Betrieben, Sabotage in allen Versammlungen, Kundgebungen, Festlichkeiten, Organisationen, die durch die nationalsozialistische Partei ins Leben gerufen werden. Verhinderung des reibungslosen Ablaufs der Kriegsmaschine (einer Maschine, die nur für einen Krieg arbeitet, der allein um die Rettung und Erhaltung der nationalsozialistischen Partei und ihrer Diktatur geht). Sabotage auf allen wissenschaftlichen und geistigen Gebieten, die für eine Fortführung des gegenwärtigen Krieges tätig sind – sei es in Universitäten, Hochschulen, Laboratorien, Forschungsanstalten, technischen Büros. Sabotage in allen Veranstaltungen kultureller Art, die das «Ansehen» der Faschisten im Volke heben könnten. Sabotage in allen Zweigen der bildenden Künste, die nur im geringsten im Zusammenhang mit dem Nationalsozialismus stehen und ihm dienen. Sabotage in allem Schrifttum, allen Zeitungen, die im Solde der «Regierung» stehen, für ihre Ideen, für die Verbreitung der braunen Lüge kämpfen. Opfert nicht einen Pfennig bei Straßensammlungen (auch wenn sie unter dem Deckmantel wohltätiger Zwecke geführt werden). Denn dies ist nur eine Tarnung. In Wirklichkeit kommt das Ergebnis weder dem Roten Kreuz noch den Notleidenden zugute. Die Regierung braucht das Geld nicht, ist auf diese Sammlungen finanziell nicht angewiesen – die Druckmaschinen laufen ja ununterbrochen und stellen jede beliebige Menge von Papiergeld her. Das Volk muß aber dauernd in Spannung gehalten werden, nie darf der Druck der Kandare nachlassen! Gebt nichts für die Metall-, Spinnstoff- und andere Sammlungen. Sucht alle Bekannten auch aus den unteren Volksschichten von der Sinnlosigkeit einer Fortführung, von der Aussichtslosigkeit dieses

Krieges, von der geistigen und wirtschaftlichen Versklavung durch den Nationalsozialismus, von der Zerstörung aller sittlichen und religiösen Werte zu überzeugen und zum passiven Widerstand zu veranlassen!

Aristoteles, «Über die Politik»: «... ferner gehört es» (zum Wesen der Tyrannis), «dahin zu streben, daß ja nichts verborgen bleibe, was irgendein Untertan spricht oder tut, sondern überall Späher ihn belauschen ... ferner alle Welt miteinander zu verhexen und Freunde mit Freunden zu verfeinden und das Volk mit den Vornehmen und die Reichen unter sich. Sodann gehört es zu solchen tyrannischen Maßregeln, die Untertanen arm zu machen, damit die Leibwache besoldet werden kann, und sie, mit der Sorge um ihren täglichen Erwerb beschäftigt, keine Zeit und Muße haben, Verschwörungen anzustiften ... Ferner aber auch solche Einkommensteuern, wie die in Syrakus auferlegten, denn unter Dionysios hatten die Bürger dieses Staates in fünf Jahren glücklich ihr ganzes Vermögen in Steuern ausgegeben. Und auch beständig Kriege zu erregen, ist der Tyrann geneigt ...»

Bitte vervielfältigen und weitergeben!

Flugblätter der Weißen Rose

4

Es ist eine alte Weisheit, die man Kindern immer wieder aufs neue predigt, daß, wer nicht hören will, fühlen muß. Ein kluges Kind wird sich aber die Finger nur einmal am heißen Ofen verbrennen. In den vergangenen Wochen hatte Hitler sowohl in Afrika als auch in Rußland Erfolge zu verzeichnen. Die Folge davon war, daß der Optimismus auf der einen, die Bestürzung und der Pessimismus auf der anderen Seite des Volkes mit einer der deutschen Trägheit unvergleichlichen Schnelligkeit anstieg. Allenthalben hörte man unter den Gegnern Hitlers, also unter dem besseren Teil des Volkes, Klagerufe, Worte der Enttäuschung und der Entmutigung, die nicht selten in dem Ausruf endigten: «Sollte nun Hitler doch ...?»

Indessen ist der deutsche Angriff auf Ägypten zum Stillstand gekommen, Rommel muß in einer gefährlichen, exponierten Lage verharren – aber noch geht der Vormarsch im Osten weiter. Dieser scheinbare Erfolg ist unter den grauenhaftesten Opfern erkauft worden, so daß er schon nicht mehr als vorteilhaft bezeichnet werden kann. Wir warnen daher vor jedem Optimismus.

Wer hat die Toten gezählt, Hitler oder Goebbels – wohl keiner von beiden. Täglich fallen in Rußland Tausende. Es ist die Zeit der Ernte, und der Schnitter fährt mit vollem Zug in die reife Saat. Die Trauer kehrt ein in die Hütten der Heimat, und niemand ist da, der die Tränen der Mütter trocknet, Hitler aber belügt die, deren teuerstes Gut er geraubt und in den sinnlosen Tod getrieben hat.

Jedes Wort, das aus Hitlers Munde kommt, ist Lüge. Wenn er Frieden sagt, meint er den Krieg, und wenn er in frevelhaftester Weise den Namen des Allmächtigen nennt, meint er die Macht des Bösen, den gefallenen Engel, den Satan. Sein Mund ist der stinkende Rachen der Hölle, und seine Macht ist im Grunde verworfen. Wohl muß man mit rationalen Mitteln den Kampf wider den nationalsozialistischen Terrorstaat führen; wer aber heute noch an der realen Existenz der dämonischen Mächte zweifelt, hat den metaphysischen Hintergrund dieses Krieges bei weitem nicht begriffen. Hinter dem Konkreten, hinter dem sinnlich Wahrnehmbaren, hinter allen sachlichen, logischen Überlegungen steht das Irrationale, d. i. der Kampf wider den Dämon, wider den Boten des Antichrist. Überall und zu allen Zeiten haben die Dämonen im Dunkeln gelauert auf die Stunde, da der Mensch schwach wird, da er seine ihm von Gott auf Freiheit gegründete Stellung im ordo eigenmächtig verläßt, da er dem Druck des Bösen nachgibt, sich von den Mächten höherer Ordnung loslöst und so, nachdem er den ersten Schritt freiwillig getan, zum zweiten und dritten und immer weiter getrieben wird mit rasend steigernder Geschwindigkeit – überall und zu allen Zeiten der höchsten Not sind Menschen aufgestanden, Propheten, Heilige, die ihre Freiheit gewahrt hatten, die auf den Einzigen Gott hinwiesen und mit seiner Hilfe das Volk zur Umkehr mahnten. Wohl ist der Mensch frei, aber er ist wehrlos wider das Böse ohne den wahren Gott, er ist wie ein Schiff ohne Ruder, dem Sturme preisgegeben, wie ein Säugling ohne Mutter, wie eine Wolke, die sich auflöst.

Gibt es, so frage ich Dich, der Du ein Christ bist, gibt es in diesem Ringen um die Erhaltung Deiner höchsten Güter ein Zögern, ein Spiel mit Intrigen, ein Hinausschieben der Entscheidung in der Hoffnung, daß ein anderer die Waffen erhebt, um Dich zu verteidigen? Hat Dir nicht Gott selbst die Kraft und den Mut gegeben zu kämpfen? Wir müssen das Böse dort angreifen, wo es am mächtigsten ist, und es ist am mächtigsten in der Macht Hitlers.

«Ich wandte mich und sah an alles Unrecht, das geschah unter der Sonne; und siehe, da waren Tränen derer, so Unrecht litten und hatten keinen Tröster; und die ihnen Unrecht taten, waren so mächtig, daß sie keinen Tröster haben konnten.

Da lobte ich die Toten, die schon gestorben waren, mehr denn die Lebendigen, die noch das Leben hatten ...» (Sprüche.)

Novalis: «Wahrhafte Anarchie ist das Zeugungselement der Religion. Aus der Vernichtung alles Positiven hebt sie ihr glorreiches Haupt als neue Weltstifterin empor... Wenn Europa wieder erwachen wollte, wenn ein Staat der Staaten, eine politische Wissenschaftslehre uns bevorstände! Sollte etwa die Hierarchie ... das Prinzip des Staatenvereins sein? ... Es wird so lange Blut über Europa strömen, bis die Nationen ihren fürchterlichen Wahnsinn gewahr werden, der sie im Kreis herumtreibt, und von heiliger Musik getroffen und besänftigt zu ehemaligen Altären in bunter Vermischung treten, Werke des Friedens vernehmen und ein großes Friedensfest auf den rauchenden Walstätten mit heißen Tränen gefeiert wird. Nur die Religion kann Europa wieder aufwecken und das Völkerrecht sichern und die Christenheit mit neuer Herrlichkeit sichtbar auf Erden in ihr friedenstiftendes Amt installieren.»

Wir weisen ausdrücklich darauf hin, daß die Weiße Rose nicht im Solde einer ausländischen Macht steht. Obgleich wir wissen, daß die nationalsozialistische Macht militärisch gebrochen werden muß, suchen wir eine Erneuerung des schwerverwundeten deutschen Geistes von innen her zu erreichen. Dieser Wiedergeburt muß aber die klare Erkenntnis aller Schuld, die das deutsche Volk auf sich geladen hat, und ein rücksichtsloser Kampf gegen Hitler und seine allzuvielen Helfershelfer, Parteimitglieder, Quislinge usw. vorausgehen. Mit aller Brutalität muß die Kluft zwischen dem besseren Teil des Volkes und allem, was mit dem Nationalsozialismus zusammenhängt, aufgerissen werden. Für Hitler und seine Anhänger gibt es auf dieser Erde keine Strafe, die ihren Taten gerecht wäre. Aber aus Liebe zu kommenden Generationen muß nach Beendigung des Krieges ein Exempel statuiert werden, daß niemand auch nur die geringste Lust je verspüren sollte, Ähnliches aufs neue zu versuchen. Vergeßt auch nicht die kleinen Schurken dieses Systems, merkt euch die Namen, auf daß keiner entkomme! Es soll ihnen nicht gelingen, in letzter Minute noch nach diesen Scheußlichkeiten die Fahne zu wechseln und so zu tun, als ob nichts gewesen wäre!

Zu Ihrer Beruhigung möchten wir noch hinzufügen, daß die Adressen der Leser der Weißen Rose nirgendwo schriftlich niedergelegt sind. Die Adressen sind willkürlich Adreßbüchern entnommen.

Wir schweigen nicht, wir sind Euer böses Gewissen; die Weiße Rose läßt Euch keine Ruhe!

Flugblätter der Widerstandsbewegung in Deutschland

5

Aufruf an alle Deutsche!

Der Krieg geht seinem sicheren Ende entgegen. Wie im Jahre 1918 versucht die deutsche Regierung alle Aufmerksamkeit auf die wachsende U-Boot-Gefahr zu lenken, während im Osten die Armeen unaufhörlich zurückströmen, im Westen die Invasion erwartet wird. Die Rüstung Amerikas hat ihren Höhepunkt noch nicht erreicht, aber heute schon übertrifft sie alles in der Geschichte seither Dagewesene. Mit mathematischer Sicherheit führt Hitler das deutsche Volk in den Abgrund. Hitler kann den Krieg nicht gewinnen, nur noch verlängern! Seine und seiner Helfer Schuld hat jedes Maß unendlich überschritten. Die gerechte Strafe rückt näher und näher!

Was aber tut das deutsche Volk? Es sieht nicht und es hört nicht. Blindlings folgt es seinen Verführern ins Verderben. Sieg um jeden Preis! haben sie auf ihre Fahne geschrieben. Ich kämpfe bis zum letzten Mann, sagt Hitler – indes ist der Krieg bereits verloren.

Deutsche! Wollt Ihr und Eure Kinder dasselbe Schicksal erleiden, das den Juden widerfahren ist? Wollt Ihr mit dem gleichen Maß gemessen werden wie Eure Verführer? Sollen wir auf ewig das von aller Welt gehaßte und ausgestoßene Volk sein? Nein! Darum trennt Euch von dem nationalsozialistischen Untermenschentum! Beweist durch die Tat, daß Ihr anders denkt! Ein neuer Befreiungskrieg bricht an. Der bessere Teil des Volkes kämpft auf unserer Seite. Zerreißt den Mantel der Gleichgültigkeit, den Ihr um Euer Herz gelegt! Entscheidet Euch, ehe es zu spät ist! Glaubt nicht der nationalsozialistischen Propaganda, die Euch den Bolschewistenschreck in die Glieder gejagt hat! Glaubt nicht, daß Deutschlands Heil mit dem Sieg des Nationalsozialismus auf Gedeih und Verderben verbunden sei! Ein Verbrechertum kann keinen deutschen Sieg erringen. Trennt Euch rechtzeitig von allem, was mit dem Nationalsozialismus zusammenhängt! Nachher wird ein schreckliches, aber gerechtes Gericht kommen über die, so sich feig und unentschlossen verborgen hielten.

Was lehrt uns der Ausgang dieses Krieges, der nie ein nationaler war?

Der imperialistische Machtgedanke muß, von welcher Seite er auch kommen möge, für alle Zeit unschädlich gemacht werden. Ein einseitiger preußischer Militarismus darf nie mehr zur Macht gelangen. Nur in großzügiger Zusammenarbeit der europäischen Völker kann der Boden geschaffen werden, auf welchem ein neuer Aufbau möglich sein wird. Jede zentralistische Gewalt, wie sie der preußische Staat in Deutschland und Europa auszuüben versucht hat, muß im Keime erstickt werden. Das kommende Deutschland kann nur föderalistisch sein. Nur eine gesunde föderalistische Staatenordnung vermag heute noch das geschwächte Europa mit neuem Leben zu erfüllen. Die Arbeiterschaft muß durch einen vernünftigen Sozialismus aus ihrem Zustand niedrigster Sklaverei befreit werden. Das Truggebilde der autarken Wirtschaft muß in Europa verschwinden. Jedes Volk, jedes einzelne hat ein Recht auf die Güter der Welt!

Freiheit der Rede, Freiheit des Bekenntnisses, Schutz des einzelnen Bürgers vor der Willkür verbrecherischer Gewaltstaaten, das sind die Grundlagen des neuen Europa.

Unterstützt die Widerstandsbwegung, verbreitet die Flugblätter!

6

Kommilitonen! Kommilitoninnen!

Erschüttert steht unser Volk vor dem Untergang der Männer von Stalingrad. Dreihundertdreißigtausend deutsche Männer hat die geniale Strategie des Weltkriegsgefreiten sinn- und verantwortungslos in Tod und Verderben gehetzt. Führer, wir danken dir!

Es gärt im deutschen Volk: Wollen wir weiter einem Dilettanten das Schicksal unserer Armeen anvertrauen? Wollen wir den niederen Machtinstinkten einer Parteiclique den Rest der deutschen Jugend opfern? Nimmermehr! Der Tag der Abrechnung ist gekommen, der Abrechnung der deutschen Jugend mit der verabscheuungswürdigsten Tyrannis, die unser Volk je erduldet hat. Im Namen der deutschen Jugend fordern wir vom Staat Adolf Hitlers die persönliche Freiheit, das kostbarste Gut des Deutschen zurück, um das er uns in der erbärmlichsten Weise betrogen.

In einem Staat rücksichtsloser Knebelung jeder freien Meinungsäußerung sind wir aufgewachsen. HJ, SA, SS haben uns in den fruchtbarsten Bildungsjahren unseres Lebens zu uniformieren, zu revolutionieren, zu narkotisieren versucht. «Weltanschauliche Schulung» hieß die verächtliche Methode, das aufkeimende Selbstdenken in einem Nebel leerer Phrasen zu ersticken. Eine Führerauslese, wie sie teuflischer und borniert zugleich nicht gedacht werden kann, zieht ihre künftigen Parteibonzen auf Ordensburgen zu gottlosen, schamlosen und gewissenlosen Ausbeutern und Mordbuben heran, zur blinden, stupiden Führergefolgschaft. Wir «Arbeiter des Geistes» wären gerade recht, dieser neuen Herrenschicht den Knüppel zu machen. Frontkämpfer werden von Studentenführern und Gauleiteraspiranten wie Schuljungen gemaßregelt, Gauleiter greifen mit geilen Späßen den Studentinnen an die Ehre. Deutsche Studentinnen haben an der Münchner Hochschule auf die Besudelung ihrer Ehre eine würdige Antwort gegeben, deutsche Studenten haben sich für ihre Kameradinnen eingesetzt und standgehalten... Das ist ein Anfang zur Erkämpfung unserer freien Selbstbestimmung, ohne die geistige Werte nicht geschaffen werden können. Unser Dank gilt den tapferen Kameradinnen und Kameraden, die mit leuchtendem Beispiel vorangegangen sind!

Es gibt für uns nur eine Parole: Kampf gegen die Partei! Heraus aus den Parteigliederungen, in denen man uns weiter politisch mundtot halten will! Heraus aus den Hörsälen der SS-Unter- und -Oberführer und Parteikriecher! Es geht uns um wahre Wissenschaft und echte Geistesfreiheit! Kein Drohmittel kann uns schrecken, auch nicht die Schließung unserer Hochschulen. Es gilt den Kampf jedes einzelnen von uns um unsere Zukunft, unsere Freiheit und Ehre in einem seiner sittlichen Verantwortung bewußten Staatswesen.

Freiheit und Ehre! Zehn lange Jahre haben Hitler und seine Genossen die beiden herrlichen deutschen Worte bis zum Ekel ausgequetscht, abgedroschen, verdreht, wie es nur Dilettanten vermögen, die die höchsten Werte einer Nation vor die Säue werfen. Was ihnen Freiheit und Ehre gilt, haben sie in zehn Jahren der Zerstörung aller materiellen und geistigen Freiheit, aller sittlichen Substanzen im deutschen Volk genugsam gezeigt. Auch dem dümmsten Deutschen hat das furchtbare Blutbad die Augen geöffnet, das sie im Namen von Freiheit und Ehre der deutschen Nation in ganz Europa angerichtet haben und täglich neu anrichten. Der deutsche Name bleibt für immer geschändet, wenn nicht die deutsche Jugend endlich aufsteht, rächt und sühnt zugleich, ihre Peiniger zerschmettert und ein neues geistiges Europa aufrichtet. Studentinnen! Studenten! Auf uns sieht das deutsche Volk! Von uns erwartet es, wie 1813 die Brechung des Napoleonischen, so 1943 die Brechung des nationalsozialistischen Terrors aus der Macht des Geistes. Beresina und Stalingrad flammen im Osten auf, die Toten von Stalingrad beschwören uns!

«Frisch auf mein Volk, die Flammenzeichen rauchen!»

Unser Volk steht im Aufbruch gegen die Verknechtung Europas durch den Nationalsozialismus, im neuen gläubigen Durchbruch von Freiheit und Ehre.

Nachwort

Von den bleibenden Büchern, die jede Epoche zurückläßt, müssen sich manche ihren gebührenden Platz erst über zögernde Aufnahme hin erkämpfen, anderen ist er schon gesichert mit dem Erscheinungstag. Inge Scholls schmales Bändchen «Die weiße Rose» von 1953 wurde alsbald zu einem der Schriftdenkmäler über Leben und Leiden in der voraufgegangenen Diktatur. Es besaß die Reife eines zehnjährigen Abstands von den Ereignissen und zugleich die Erlebnisfrische und Unmittelbarkeit, als wäre eben erst der Verschluß über gehüteter Erinnerung geöffnet worden.

Der gleichsam klassische Rang des Gedenkbuchs für die hingerichteten Geschwister Hans und Sophie Scholl und ihre Gefährten wird nicht durch die Einsicht gemindert, daß der Widerstandskreis der Weißen Rose sich heute umfangreicher darbietet als den Erstlesern vor vierzig Jahren und daß er manche Betonungen anders gesetzt wissen will als damals. Inge Scholl selbst versuchte der gewachsenen Kenntnis gerecht zu werden, indem sie 1982 eine erweiterte Ausgabe mit zusätzlichen Dokumenten und Zeugnissen herausbrachte. Das von ihr entworfene Bild wurde überdies plastischer dadurch, daß sie manche Namen nachtrug, bei denen sie sich drei Jahrzehnte zuvor mit Andeutungen begnügt hatte.

Auch das echte Geschichtsdrama, wie jedes erdachte auf der Bühne, läuft ab in Haupt- und Nebenrollen. Wenn nach dieser Dramaturgie den beiden bekanntesten Teilnehmern des Widerstandskreises, den Geschwistern Scholl, im vorliegenden Buch abermals der Vortritt eingeräumt wird, so spricht dafür auch, daß sie mit Selbstzeugnissen besonders reichhaltig hervortreten, was für Alexander Schmorell und Christoph Probst nicht gilt, während Willi Graf erst viel später hinzutrat, nachdem vier «Flugblätter der Weißen Rose» schon erschienen waren. Dies trifft ebenso auf Kurt Huber zu. Die Größe des Opfers der Mit-Täter im sittlichen Protest gegen das Unrecht wird durch die darstellerische Gewichtsverteilung um nichts geringer.

Anmerkungen

Hinter der laufenden Zitatnummer wird der Verfasser- oder Herausgebername mit der Seitenzahl der betreffenden Schrift genannt. Deren voller Titel ist im Literaturverzeichnis zu finden. Der volle Nachweis wird nur dann an Ort und Stelle geliefert, wenn die Bibliographie das Werk nicht aufführt. Das Kürzel A. a. O. gilt stets nur für die letztgenannte Belegstelle. Aufschlüsselung der verwendeten Archiv-Signaturen siehe S. 155.

1 Zit. nach: Christian Zentner: III. Reich, Partwork-Reihe Hamburg 1974–1978, Heft 40, S. 33
2 Raymond Cartier: Der Zweite Weltkrieg. München 1977, S. 588
3 Ian Kershaw: Der Hitler-Mythos. Volksmeinung und Propaganda im Dritten Reich. Stuttgart 1980, S. 168
4 Vgl. Anm. 1, Heft 41, S. 81
5 Der Abschnitt ist entnommen aus: Harald Steffahn: Deutschland – Von Bismarck bis heute. Stuttgart 1990, S. 327
6 Ursula von Kardorff: Berliner Aufzeichnungen. Aus den Jahren 1942–1945. München 1964, S. 29
7 Scholl, 71
8 Die vollständigen Texte der Flugblätter s. S. 131–144
9 Ruth Andreas-Friedrich: Der Schattenmann. Tagebuchaufzeichnungen 1938–1945. Neudruck Frankfurt a. M. 1983, S. 104f.
10 Vgl. Anm. 5, S. 229f.
11 Scholl, 15f.
12 A. a. O., 15
13 Vinke, 44
14 Vgl. Anm. 1, Sonderheft Hitler-Jugend, S. 47
15 Ernst Deuerlein (Hg.): Der Aufstieg der NSDAP in Augenzeugenberichten. München 1974, S. 108
16 Eberhard Jäckel (Hg.): Hitler. Sämtliche Aufzeichnungen 1905–1924. Stuttgart 1980, S. 89
17 Vinke, 47
18 André François-Poncet: Botschafter in Berlin 1931–1938. Mainz 1962, S. 308
19 Hanser, 47
20 Jens, 21, 24, 204f.
21 Scholl, 19
22 A. a. O., 23, 25
23 Jens, 15
24 A. a. O., 17
25 Ebd.
26 Scholl, 22
27 Vinke, 57
28 Ebd.
29 A. a. O., 7
30 Jens, 30
31 Vinke, 33
32 A. a. O., 32
33 Jens, 162
34 A. a. O., 163
35 A. a. O., 201f.
36 Vinke, 72
37 A. a. O., 38
38 Jens, 41
39 Ulrich von Hassell: Tagebücher 1938–1944. Aufzeichnungen vom Andern Deutschland. Hg. von Friedrich Frh. Hiller von Gaertringen. Berlin 1988, S. 199
40 Jens, 24f.
41 Adolf Hitler: Mein Kampf. Zweiter

Band, München 1927 (hier: 1933), S. 459f.

42 Vinke, 46
43 A. a. O., 82
44 Ebd.
45 Aicher, 10. Die durchgehende Kleinschreibung seines Buches muß beim Zitieren (innerhalb eines Buches mit Duden-Norm) zwangsläufig angeglichen werden.
46 Vinke, 65
47 Jens, 103f.
48 A. a. O., 211, 222
49 Vinke, 86
50 Jens, 224
51 A. a. O., 228
52 Aicher, 63. Etliches davon, aber auch unveröffentlichte Aufsätze ihrer älteren Freunde, Mentoren, ließen sie in ihrem privat kursierenden, zeitschriftartigen Verbindungsblatt «Windlicht» erscheinen. Die Idee dazu war von Otl Aicher ausgegangen.
53 A. a. O., 42, 46, 63
54 Vgl. Anm. 41, S. 742
55 Droste Geschichts-Kalendarium. Hg. von Manfred Overesch. Band 2/II, Düsseldorf 1983, S. 233
56 Vinke, 78
57 Ebd.
58 Ebd.
59 Jens, 211, 345 und passim
60 Aicher, 138
61 Scholl, 35
62 A. a. O., 41
63 Ebd.
64 A. a. O., 32
65 Pers. Mitteilung von Jürgen Wittenstein
66 Petry, 16
67 A. a. O., 17
68 Jens, 71
69 A. a. O., 64
70 Petry, 19
71 Jens, 359
72 Drobisch, Dokumententeil, 108
73 Huch, 6/355
74 A. a. O., 5/284
75 Hanser, 131
76 NJ 1704 Bd. 8 Blatt 26
77 Petry, 22
78 Knoop-Graf, 147f.
79 Hans-Ulrich Thamer: Verführung und Gewalt. Deutschland 1933–1945. Berlin 1986, S. 657
80 Knoop-Graf, 158
81 A. a. O., 31. Das Tagebuch ist im Original, nicht im Nachdruck durch die Herausgeberinnen Anneliese Knoop-Graf und Inge Jens, in Kleinschreibung verfaßt.
82 A. a. O., 37
83 Scholl, 34
84 Scholl, 40 (in der Taschenbuch-Ausgabe von 1955)
85 Aicher, 187
86 Vgl. Anm. 84, S. 37f
87 Scholl, 31
88 Jens, 94
89 Petry, 38
90 Alle Briefzitate in der Reihenfolge: Jens, 87, 238, 240, 103, 257
91 Haecker, 199
92 A. a. O., 289
93 Petry, 43; Hanser, 173
94 Petry, 43
95 Petry, Dokumententeil, 184
96 Petry, 231
97 A. a. O., 42
98 Ebd.
99 Ebd.
100 Joachim Fest: Hitler. Eine Biographie. Berlin/Frankfurt a. M. 1973, S. 699
101 Verhoeven/Krebs, 192
102 Jens, 354
103 Scholl, 158
104 Jens, 97
105 Ebd.
106 A. a. O., 244
107 A. a. O., 261
108 A. a. O., 280
109 Aicher, 65
110 Pers. Aufzeichnung Robert Scholls vom 23. 9. 1968, dem Verf. zugänglich gemacht von Inge Scholl am 27.3.1991.
111 Jens, 174
112 A. a. O., 96. Hans Scholl gibt die Goethe-Strophe etwas abweichend vom Original wieder, korrigiert die Gedächtnisfehler aber im ersten Flugblatt.
113 Petry, 151
114 A. a. O., 147
115 A. a. O., 7
116 Petry, Dokumententeil, 178
117 Petry, 151
118 A. a. O., 152
119 A. a. O., 151
120 Verhoeven/Krebs, 109
121 Jens, 178
122 Vinke, 126
123 A. a. O., 105
124 Vgl. Textstelle zu Anm. 60

125 Petry, 52; Knoop-Graf, 272
126 Petry, 41
127 Knoop-Graf, 126
128 Walther Hofer (Hg.): Der Nationalsozialismus. Dokumente 1933–1945. Frankfurt a. M. 1957, S. 163f.
129 In: Jochen von Lang: Der Sekretär. Martin Bormann – Der Mann, der Hitler beherrschte. Stuttgart 1977, S. 196
130 Goebbels Tagebücher. Aus den Jahren 1942–43. Hg. von Louis P. Lochner. Zürich 1948, S. 348
131 Vgl. Anm. 39, S. 269
132 Scholl, 31
133 Petry, 18
134 Vinke, 106
135 Knoop-Graf, Dokumententeil, 212
136 Petry, 40f.
137 Petry, Dokumententeil, 179
138 Vgl. Textstelle zu Anm. 99
139 Petry, Dokumententeil, 179
140 Inge Aicher-Scholl gegenüber dem Verf. am 15. 3. 1992.
141 ZC 13267 Bd. 2 Blatt 22f.
142 Heinrich Himmler: Geheimreden 1933–1945 und andere Ansprachen. Hg. von Bradley F. Smith und Agnes F. Peterson. Frankfurt a. M./Berlin 1974, S. 159, 169, 170f.
143 Petry, 58
144 Scholl, 170. Ein Erinnerungsfehler unterläuft der einstigen Mitstudentin in bezug auf Laotse; der wird erst im zweiten Flugblatt zitiert.
145 Ebd. Das vierte Flugblatt zitiert zwei Textstellen aus dem 4. Kapitel des Predigers. Das Flugblatt nennt dabei irrtümlich Salomos «Sprüche».
146 Vgl. die Textstelle zu Anm. 68
147 Scholl, 170
148 Teil einer Strophe von Kurt Doberer in: Verse der Emigration. Karlsbad 1936
149 Scholl, 52
150 Ebd.
151 Jens, 57
152 A. a. O., 279
153 Aicher, 83
154 Vinke, 100
155 Scholl, 45
156 Knoop-Graf, 42
157 A. a. O., 44

158 A. a. O., Dokumententeil, 217
159 Petry, 64
160 Drobisch, 23
161 Scholl, 226
162 Janina David: Ein Stück Himmel. Erinnerungen an eine Kindheit. München 1981, S. 305
163 Knoop-Graf, 44
164 A. a. O., 72
165 Petry, 71
166 Scholl, 58
167 Jens, 106
168 A. a. O., 110
169 Knoop-Graf, 51
170 Jens, 107
171 A. a. O., 332
172 A. a. O., 122
173 Scholl, 57
174 Jens, 265
175 A. a. O., 335
176 A. a. O., 265
177 Knoop-Graf, 70
178 A. a. O., 285
179 Hitler. Reden und Proklamationen 1932–1945. Hg. und kommentiert von Max Domarus. Neustadt a. d. Aisch 1962, Bd. 2, S. 1938
180 Jens, 278f.
181 A. a. O., 179
182 A. a. O., 335
183 A. a. O., 136
184 Knoop-Graf, 84
185 A. a. O., 86–89, 96, 99, 102, 106
186 A. a. O., 27f.
187 Jens, 335
188 Petry, 76
189 Drobisch, 28
190 Knoop-Graf, 264; Äußerung von Walter Kastner, der zu diesem Kreis gehörte
191 A. a. O., 314
192 Fabian von Schlabrendorff: Offiziere gegen Hitler. Frankfurt a. M. 1959, S. 138
193 Vinke, 127
194 So die Anklageschrift gegen Schmorell, Huber, Graf u. a.: Knoop-Graf, Dokumententeil, 214; entsprechend auch Hubers Verteidigungsrede: Petry, Dokumententeil, 187
195 Petry, ebd.
196 Petry, 61
197 Hanser, 247
198 Scholl, 226 (Protokoll Robert Mohr vom 19. 2. 1951)
199 Ebd.
200 Knoop-Graf, 102
201 Ebd.

202 Jens, 286f.
203 Scholl, 218; Vinke, 136
204 Ebd.
205 Scholl, 67
206 A. a. O., 219
207 Knoop-Graf, 320
208 Ian Kershaw (vgl. Anm. 3), S. 172
209 A. a. O., 170
210 Petry, Dokumententeil, 171
211 Petry, 99; sinngleich: Knoop-Graf, 310
212 Petry, 101; Knoop-Graf, 320
213 Petry, Dokumententeil, 188
214 A. a. O., 190
215 Scholl, 174
216 Petry, 111
217 Die vorliegende Monographie paßt sich der historiographischen Tradition an, von der «Weißen Rose» auch für einen Zeitraum zu sprechen, in welchem die Widerstandsgruppe nicht mehr unter diesem Namen auftrat. Er ist somit aus der zeitbegrenzten Verwendung herausgelöst und auf die ganze Gruppe übertragen worden, auch auf die später Hinzugetretenen, die mit dem Symbol Weiße Rose in keinem ursprünglichen Zusammenhang stehen.
218 Haecker, 211
219 Jens, 288
220 Petry, 102
221 A. a. O., 104
222 Ebd.
223 Scholl, 63
224 A. a. O., 165
225 Vgl. Textstelle zu Anm. 203
226 Scholl, 188
227 Die folgenden Zitate aus: ZC 13267 Bd. 2 Blatt 14, 15; Bd. 3 Blatt 8, 10; Bd. 4 Blatt 6
228 Vinke, 158f.
229 Im Namen des Deutschen Volkes. Justiz und Nationalsozialismus. Katalog zur Ausstellung des Bundesministers für Justiz. Köln 1989, S. 210
230 Jens, 292
231 Vinke, 160
232 Ebd.
233 Scholl, 240. In dieser Form wiedergegeben vom Mithäftling Helmut Fietz; original bei Goethe: «Trutz». Auch in einem Brief Sophies vom 17. 6. 1940 steht das Zitat in der «Zellen-Version». Oft habe der Zuruf «Allen» genügt, um einem Familienmitglied Mut zuzusprechen (Jens, 342)
234 Drobisch, Dokumententeil, 112
235 A. a. O., 108. So auch schon in einem Brief an die Anklagebehörde, ZC 13267 Bd. 1 Blatt 40
236 Scholl, 79
237 Petry, 126
238 Scholl, 79
239 A. a. O., 243
240 A. a. O., 80
241 Drobisch, Dokumententeil, 107
242 A. a. O., 108f.
243 Scholl, 79
244 Sinngemäß Hanser, 285
245 Huch 6/356; Scholl, 80
246 Die folgenden Zitate nach: Scholl, 81f.
247 A. a. O., 236
248 A. a. O., 251
249 A. a. O., 83
250 Vinke, 174
251 Scholl, 201
252 NJ 1704 Bd. 8 Blatt 14
253 Vgl. Textstelle zu Anm. 246
254 Petry, Dokumententeil, 200
255 Scholl, 206
256 Petry, Dokumententeil, 202
257 A. a. O., 193f.
258 A. a. O., 206
259 A. a. O., 202
260 Scholl, 212
261 Drobisch, Dokumententeil, 143
262 Scholl, 253
263 Hanser, 316
264 Petry, 134
265 Drobisch, Dokumententeil, 144f.
266 Vgl. Textstelle zu Anm. 127
267 Knoop-Graf, 327
268 A. a. O., 188
269 A. a. O., 199
270 A. a. O., 198
271 Knoop-Graf, Dokumententeil, 244
272 A. a. O., 246
273 Pers. Mitteilung von Felix Juds Tochter Barbara Möller
274 Felix Jud: Reinhold Meyer und die Weiße Rose, in: Bücher und Zeiten. 125 Jahre Buchhandlung am Jungfernstieg. Hamburg 1969, S. 135
275 Hochmuth/Jacob, 410
276 Anneliese Tuchel, in: Börsenblatt des Deutschen Buchhandels 69/28. August 1987, S. 2250
277 Hochmuth/Jacob, 392
278 Petry, 143
279 Drobisch, Dokumententeil, 165

Zeittafel

1918   22. September: Hans Scholl in Ingersheim an der Jagst geboren

1921   9. Mai: Sophie Scholl in Forchtenberg am Kocher geboren. Vater: Robert Scholl (1891–1973), Bürgermeister in Ingersheim, dann in Forchtenberg, seit 1932 Wirtschafts- und Steuerberater in Ulm; Mutter: Magdalene, geb. Müller (1881–1958), als Diakonisse ausgebildet; Geschwister: Inge (geb. 1917), Elisabeth (geb. 1920), Werner (geb. 1922, seit Mai 1944 in Rußland vermißt)

1930   Umzug der Familie nach Ludwigsburg

1932   Übersiedlung nach Ulm, Wohnung am Münsterplatz

1933   30. Januar: Adolf Hitler wird Reichskanzler

1937   März: Hans Scholl besteht das Abitur an einer Ulmer Oberrealschule. Anschließend halbjähriger Arbeitsdienst bei Göppingen

Oktober: Beginn des Wehrdienstes bei der Kavallerie in Bad Cannstatt

Dezember (bis Januar 1938): fünfwöchige Untersuchungshaft in Stuttgart wegen «bündischer Umtriebe». Infolge allgemeiner Amnestie entfällt das Gerichtsverfahren

1938   November: Nach Abschluß der – auf ein Jahr verkürzten – Militärausbildung medizinisches Praktikum in Tübingen

1939   Mai: Hans Scholl beginnt Medizin in München zu studieren

1. September: Beginn des Zweiten Weltkriegs

1940   März: Sophie Scholl beendet mit dem Abitur die Schulzeit

Mai: Beginn einer Ausbildung zur Kindergärtnerin am Ulmer Fröbel-Seminar; Hans Scholl nimmt am Frankreich-Feldzug teil, erst als Krad-Melder, dann im Lazarettdienst

November: Hans Scholl setzt sein Medizinstudium in München fort

1941   Januar: Hans Scholl besteht das Physikum. Die folgenden klinischen Semester werden durch Famulaturen ergänzt

März: Sophie Scholl legt die Prüfung als Kindergärtnerin ab, danach halbjähriger Arbeitsdienst im Lager Krauchenwies bei Sigmaringen

Oktober (bis März 1942): Sophie Scholl absolviert einen halbjährigen Kriegshilfsdienst in einem Kindergarten in Blumberg bei Donaueschingen

1942   Mai: Sophie Scholl Studentin der Biologie und Philosophie in München

Die Hauptpersonen des Münchner Kreises von Freunden und Mentoren: Alexander Schmorell, geb. 16. September 1917 in Orenburg als Sohn eines deutschen Arztes und einer russischen Mutter. Aufgewachsen in München, zweisprachig. 1936 Abitur, anschließend Arbeitsdienst und Militärausbildung, Teilnahme am Einmarsch in Österreich und im Sudetenland. Vom Frühjahr 1939 an ein erstes medizinisches Studienjahr in Hamburg, danach Teilnahme am Frankreich-Feldzug. Freistellung zum Weiterstudieren in München.

<u>Christoph Probst</u>, geb. 6. November 1919 in Murnau. Sohn eines Privatgelehrten ohne Dozentur. 1937 Abitur nach mehrjährigen Internatsaufenthalten, anschließend Arbeitsdienst, Militärausbildung. Seit dem Sommersemester 1939 Student der Medizin in München wie Hans Scholl, ohne daß beide schon in Berührung kommen. Weitere Studienorte: Straßburg und Innsbruck. Als einziger der Studenten im engeren Kreis der Weißen Rose ist er verheiratet (mit Herta Dohrn) und zuletzt Vater dreier Kinder.

<u>Willi Graf</u>, geb. 2. Januar 1918 in Kuchenheim bei Euskirchen, aufgewachsen in Saarbrücken, Sohn eines Kaufmanns im Weingroßhandel. Aktiv in katholischen Jugendgruppen, auch unter dem NS-Verbot, daher nach der Jahreswende 1937/38 einige Zeit in Haft wie Hans Scholl, anschließend amnestiert. 1937 Abitur, Arbeitsdienst, Beginn des Medizinstudiums in Bonn bis zum Physikum im September 1939. Wechsel nach München, dort aber 1940 Ausbildung zum Sanitäter, ab September in den besetzten Westgebieten eingesetzt. 1941 Teilnahme in gleicher Funktion am Serbien- und Rußland-Feldzug. Im Sommersemester 1942 in München Fortsetzung des Studiums.

<u>Carl Muth</u>, geb. 31. März 1867 in Worms, begründete 1903 die katholische Monatsschrift «Hochland» in München, die er bis zur erzwungenen Einstellung 1941 herausgab. Muths Bemühen: den Katholizismus entgegen damaligen antimodernistischen Tendenzen zeitgemäß zu erneuern und an das Kultur- und Geistesleben der Gegenwart heranzuführen. Im Herbst 1941 Bekanntschaft mit Hans Scholl, seither starke geistige, vor allem religiöse Einflußnahme. Carl Muth stirbt am 15. November 1944 in Bad Reichenhall.

<u>Theodor Haecker</u>, geb. 4. Juni 1879 in Eberbach/Württemberg, zum Katholizismus übergetretener Kulturphilosoph, wie Muth ein unorthodoxer Neuerer im katholischen Christentum, Mitarbeiter seiner Zeitschrift bis zum Rede- und Schreibverbot im NS-Staat. Übersetzer Vergils, Kierkegaards, Newmans. Entschiedener Gegner Preußens, aber auch der nationalsozialistischen Rassenpolitik. Kurz vor Kriegsende (9. April 1945) Tod in Usterbach bei Augsburg.

<u>Kurt Huber</u>, geb. 24. Oktober 1893 in Chur/Graubünden, in Stuttgart aufgewachsen, akademische Laufbahn in München vom Studium bis zur außerplanmäßigen Professur mit den Fachrichtungen Philosophie und Musikwissenschaft, hierin besonders Tonpsychologie (Hörpsychologie) und Volksliedkunde. Obwohl NSDAP-Mitglied (mit der hohen Mitglieds-Nr. 8 282 981) steht er an der Universität im Ruf regimefeindlicher Gesinnung. Die geistige Einflußnahme auf den Scholl-Kreis entwickelt sich später als im Falle der Mentoren Muth und Haecker.

1942   3. Juni: Die Geschwister Scholl und die Freunde Probst und Schmorell begegnen Kurt Huber im Hause Mertens. Huber: ... *man beschloß, wieder zusammenzukommen*

Juni/Juli: Hans Scholl und Alexander Schmorell verbreiten die «Flugblätter der Weißen Rose» 1 bis 4

Ende Juli (bis Ende Oktober): Feldfamulatur im Mittelabschnitt der Ostfront um Rschew und Gschatsk: Scholl, Schmorell, Graf, nicht aber Probst

August: Robert Scholl wegen «Heimtücke» zu vier Monaten Gefängnis verurteilt, nebst Berufsverbot (nach einer Denunziation auf Grund abfälliger Äußerungen über Hitler)

August/September: Sophie Scholl leistet Kriegshilfsdienst in einem Ulmer Rüstungsbetrieb

November/Dezember: Beginn der Kontaktsuche der Weißen Rose zu anderen Widerstandsgruppen, bzw. Bemühungen, die Aktivität der Weißen Rose auch in andere Städte auszudehnen

1. Dezember: Die Geschwister Scholl beziehen eine gemeinsame Wohnung in der Franz-Joseph-Straße 13 in Schwabing

1943 13. Januar: Vervielfältigung des kurz zuvor von Hans Scholl verfaßten und von Kurt Huber redigierten fünften Flugblatts. Verbreitung per Post und Bahn in anderen süddeutschen Städten sowie – Ende Januar – durch Ausstreuen in der Münchner Innenstadt; Skandal im Deutschen Museum auf Grund von beleidigenden Äußerungen des Gauleiters Giesler gegenüber den Studentinnen

Ende Januar: Die Gestapo setzt eine Sonderkommission der Kriminalpolizei ein

3. Februar: Das Oberkommando der Wehrmacht meldet das Ende der Kämpfe in Stalingrad

3./4. Februar: Nächtliche antinazistische Mauerparolen in München (durch Hans Scholl, Alexander Schmorell und Willi Graf)

8./9. Februar: Wiederholung der Widerstandsaufrufe

14. Februar: Kurt Huber entwirft das sechste und letzte Flugblatt

15. Februar: Fertigstellung und Versand des 6. Flugblatts

15./16. Februar: Dritter nächtlicher Agitationsstreifzug

18. Februar: Hans und Sophie Scholl werden in der Universität beim Ausstreuen von Flugblättern überrascht und festgenommen. Abends: Aufruf des Propagandaministers Goebbels im Berliner Sportpalast zum «Totalen Krieg». Um Mitternacht Verhaftung Willi Grafs. Alexander Schmorell versucht zu fliehen

19. Februar: Christoph Probst in Innsbruck verhaftet

22. Februar: Der Volksgerichtshof verurteilt in München Hans und Sophie Scholl sowie Christoph Probst zum Tode. Am selben Tag Hinrichtung durch das Fallbeil

24. Februar: Beisetzung unter Gestapo-Aufsicht auf dem Perlacher Friedhof. Alexander Schmorell verhaftet

27. Februar: Kurt Huber verhaftet. Zusammen mit seiner Familie werden auch die Angehörigen der anderen Tatbeteiligten in Sippenhaft genommen, mit Ausnahme des Wehrmacht-Angehörigen Werner Scholl; im August anderthalbjährige Zuchthausstrafe für Robert Scholl

19. April: Zweiter Prozeß vor dem Volksgerichtshof in München. Todesurteile gegen Willi Graf, Alexander Schmorell, Kurt Huber; zehn Haftstrafen von zehn Jahren Zuchthaus bis zu sechs Monaten Gefängnis, ein Freispruch

13. Juli: Alexander Schmorell und Kurt Huber werden durch das Fallbeil hingerichtet. Dritter Prozeß in München; eine Haftstrafe, drei Freisprüche

8. Oktober: Hans Leipelt in München verhaftet

12. Oktober: Willi Graf stirbt durch das Fallbeil

9. November: Beginn der Zerschlagung des Hamburger Kreises der Weißen Rose

1944   13. Oktober: Hans Leipelt vom Volksgerichtshof in Donauwörth zum Tode verurteilt

1945   29. Januar: Hinrichtung durch das Fallbeil

3. Februar: Tod Roland Freislers bei einem Luftangriff in Berlin

17. April: Heinz Kucharski vom Volksgerichtshof in Hamburg zum Tode verurteilt. Flucht kurz vor der Exekution

Todesopfer im Umfeld der Weißen Rose Hamburg, ohne Prozeß:
Elisabeth Lange (am 28. Januar 1944 Freitod im Polizeigefängnis Hamburg-Fuhlsbüttel)
Reinhold Meyer (am 12. November 1944 gestorben im Polizeigefängnis Hamburg-Fuhlsbüttel)
Margaretha Rothe (gestorben am 15. April 1945 im Krankenhaus Leipzig-Dösen)
Margarethe Mrosek (am 21. April 1945 gehenkt im KZ Neuengamme)
Curt Ledien (am 23. April 1945 gehenkt im KZ Neuengamme)
Frederik Geussenhainer (im April 1945 verhungert im KZ Mauthausen)

Zeugnisse

Ulrich von Hassell
München steht unter dem Eindruck der aufgedeckten Studentenverschwö-
rung. Ich habe den einfach prachtvollen, tief sittlichen nationalen Aufruf
gelesen, der ihnen den Tod gebracht hat. Wie es scheint, ist ein (inzwischen
auch verhafteter) Professor der Verfasser.
Tagebuch, 28. März 1943

Thomas Mann
Ja, sie war kummervoll, diese Anfälligkeit der deutschen Jugend – gerade
der Jugend – für die nationalsozialistische Lügenrevolution. Jetzt sind ihre
Augen geöffnet, und sie legen das junge Haupt auf den Block für ihre Erkenntnis und für Deutschlands Ehre, legen ihn dorthin, nachdem sie vor
Gericht dem Nazi-Präsidenten ins Gesicht gesagt: «Bald werden Sie hier stehen, wo ich jetzt stehe»; nachdem sie im Angesicht des Todes bezeugt: «Ein
neuer Glaube dämmert an Freiheit und Ehre.» Brave, herrliche junge Leute! Ihr sollt nicht umsonst gestorben, sollt nicht vergessen sein. Die Nazis
haben schmutzigen Rowdies, gemeinen Killern in Deutschland Denkmäler
gesetzt. Die deutsche Revolution, die wirkliche, wird sie niederreißen und
an ihrer Stelle eure Namen verewigen, die ihr, als noch Nacht über Deutschland und Europa lag, wußtet und verkündetet: «Es dämmert ein neuer
Glaube an Freiheit und Ehre.»
«Deutsche Hörer!» Rundfunkansprache vom 27. Juni 1943

Karl Voßler
Die Gedenktafel, die wir nun enthüllen wollen, soll uns eine bleibende Erinnerung sein, ein Zeichen der Ehre und Dankbarkeit, die wir den toten Kommilitonen schulden, eine Mahnung für jeden, der hier studieren will. Denn
vergessen wir es nicht: Freiheit und Echtheit der Wissenschaft ist keine Ein-
richtung und kein Vorrecht, das man ererbt ... und das sich etwa durch den
Opfertod heldenmütiger Märtyrer für die Zukunft sichern läßt. Niemals!
Wir selbst müssen, jeder, mit persönlichem Einsatz, jedesmal neu diese
Freiheit erkämpfen, hüten und verteidigen. Dazu soll der Gedanke, wie unsere sieben Kameraden hier ihre Feuerprobe bestanden haben, uns immer
ermutigen.
Münchner Gedenkrede am 2. November 1946

Theodor Heuss

Als wir vor zehn Jahren, zuerst als halbes Gerücht, dann mit der zuverlässigen Bestätigung von dem kühnen Versuch erfuhren, womit die Geschwister Scholl und ihr Freundeskreis das Gewissen der studierenden Jugend zu erreichen suchten, da wußten wir und sprachen es auch aus: Dieser Aufschrei der deutschen Seele wird durch die Geschichte weiterhallen, der Tod kann ihn nicht, konnte ihn nicht in die Stummheit zwingen. Die Sätze, die auf Papierfetzen durch die Münchner Hochschule flatterten, waren ein Fanal und sind es geblieben. So wurde das tapfere Sterben der jungen Menschen, die gegen die Phrase und die Lüge die Reinheit der Gesinnung und den Mut zur Wahrheit setzten, im Auslöschen ihres Lebens zu einem Sieg. So muß ihre Erscheinung inmitten der deutschen Tragik begriffen werden – nicht als ein gegenüber der Gewalt mißglückter Versuch zur Wende, sondern als das Abschirmen eines Lichtes in der dunkelsten Stunde. Und darum gehören ihrem Gedächtnis Dank und Ehrfurcht.

Grußwort des Bundespräsidenten
zur Gedächtnisfeier am 22. Februar 1953

Golo Mann

Sie fochten gegen das Riesenfeuer mit bloßen Händen, mit ihrem Glauben, ihrem armseligen Vervielfältigungsapparat, gegen die Allgewalt des Staates. Gut konnte das nicht ausgehen, und ihre Zeit war kurz. Hätte es aber im deutschen Widerstand nur sie gegeben, die Geschwister Scholl und ihre Freunde, so hätten sie alleine genügt, um etwas von der Ehre des Menschen zu retten, welcher die deutsche Sprache spricht.

Deutsche Geschichte des 19. und 20. Jahrhunderts, Frankfurt a. M. 1958

Richard von Weizsäcker

Die Mitglieder der Weißen Rose haben ihr Leben in Gewaltlosigkeit für die Grundwerte aller hingegeben. Sie haben ihr Leben bejaht und erfüllt. Das Politische an ihnen war ihr Ethos. Ihr Widerstand ist kein Scheitern, sondern er weist über ihre Zeit hinaus. Ihr Denken und Handeln ist ein Zeichen der Hoffnung und Mahnung. Die Courage jeder Generation entscheidet über unsere Zivilisation neu. Wir können sie nur bewahren mit unbeugsamem Geist und mit fühlendem Herzen, 1993 wie 1943.

Rede des Bundespräsidenten, 15. Februar 1993

Bibliographie

1. Dokumentensammlung

a) München
Umfangreicher Bestand lagert im Institut für Zeitgeschichte in München und ist nur zu geringeren Teilen publiziert. Unter der Aktennummer Fa 215/1–5 findet sich die vierbändige Sammlung Hellmuth Auerbach und ein fünfter Band, dessen Material Ursula von Kardorff speziell zum Hamburger Zweig der Weißen Rose zusammengetragen hat. Da eine Aufzählung der über neunzig Einzelstücke aus Platzgründen nicht möglich ist, seien die Bände wenigstens in ihrer Grobeinteilung skizziert.

Band 1 (Blatt 1–249): Prozeßakten und die Flugblätter
Band 2 (Blatt 1–243): Korrespondenzen und Berichte von Zeitzeugen
Band 3 (Blatt 1–263): Nachkriegs-Justizakten, Korrespondenzen und Berichte von Zeitzeugen
Band 4 (Blatt 1–204): Veröffentlichungen zur Weißen Rose, zumeist in Zeitungen und Zeitschriften
Band 5 (Blatt 1–94): Korrespondenzen und Berichte von Zeitzeugen

Ferner befindet sich im Münchner Institut für Zeitgeschichte eine fünfbändige Sammlung Ricarda Huchs zum Deutschen Widerstand, darunter der Band 4, «Weiße Rose», Blatt 1–263, mit Korrespondenzen und Berichten von Zeitzeugen sowie biographischen Notizen.

b) Potsdam
Das Bundesarchiv (Zwischenarchiv Dahlwitz-Hoppegarten am Ostrand Berlins) verwahrt Materialien zum Komplex Weiße Rose aus den Beständen des Ministeriums für Staatssicherheit der früheren DDR und des Zentralen Parteiarchivs der SED. Zur ersten Gruppe gehören Dokumente unter den Signaturen ZC 13267, 14116 und 19601, zur zweiten Gruppe zählen Akten unter den Nummern NJ 1704 und 6136. Die beiden Sammlungen enthalten Quellenzeugnisse zum 1. und 2. Prozeß, aber auch über die vorherigen Ermittlungen gegen die noch unbekannte Widerstandsgruppe.

2. Quellen und Darstellungen

Die übliche Unterteilung in Quellen einerseits und Darstellungen andererseits unterbleibt in diesem Fall, weil beide Gruppen nicht klar zu trennen sind. Die darstellende Literatur zur Weißen Rose enthält vielfach auch Dokumententeile.

AICHER, OTL: innenseiten des kriegs. Frankfurt a. M. 1985

AICHER-SCHOLL, INGE (Hg.): Sippenhaft. Nachrichten und Botschaften der Familie in der Gestapo-Haft nach der Hinrichtung von Hans und Sophie Scholl. Frankfurt a. M. 1993

ALT, KARL: Todeskandidaten. München 1946

BOTTIN, ANGELA (Hg.), unter Mitarbeit von RAINER NICOLAYSEN: Enge Zeit. Spuren Vertriebener und Verfolgter der Hamburger Universität. Katalog zur Ausstellung in der Hamburger Universität vom 23. Februar bis 4. April 1991

BRETSCHNEIDER, HEIKE: Der Widerstand gegen den Nationalsozialismus in München 1933–1945. Neue Schriftenreihe des Stadtarchivs München, 1968

BREYVOGEL, WILFRIED (Hg.): Piraten, Swings und Junge Garde. Jugendwiderstand im Nationalsozialismus. Bonn 1991

BUSSMANN, WALTER: Der deutsche Widerstand und die «Weiße Rose». Festvortrag anläßlich der 25. Wiederkehr des Todes der Mitglieder der «Weißen Rose». München 1968

candidates of humanity. Dokumentation zur Hamburger Weißen Rose anläßlich des 50. Geburtstages von Hans Leipelt. Bearbeitet von URSEL HOCHMUTH. Hg. von der Vereinigung der Antifaschisten und Verfolgten des Naziregimes Hamburg e. V., Hamburg 1971

Die Weiße Rose und das Erbe des deutschen Widerstandes. Münchner Gedächtnisvorlesungen. München 1993

DONOHOE, JAMES: Hitler's Conservative Opponents in Bavaria 1930–1945. Leiden 1961

DROBISCH, KLAUS (Hg.): Wir schweigen nicht. Eine Dokumentation über den antifaschistischen Kampf der Münchner Studenten 1942/43. Berlin (Ost) 1968

DUMBACH, ANNETTE E.; NEWBORN, JUD: Shattering the German Night. The Story of the White Rose. Boston/Toronto 1986. Deutsch: Wir sind euer Gewissen. Die Geschichte der Weißen Rose. Stuttgart 1988

FISCHER-FABIAN, SIEGFRIED: Die Macht des Gewissens. Von Sokrates bis Sophie Scholl. München 1987

FLEISCHHACK, ERNST: Die Widerstandsbewegung «Weiße Rose». Literaturbericht und Bibliographie. Frankfurt a. M. 1971

GUARDINI, ROMANO: Die Waage des Daseins. Rede zum Gedächtnis von Sophie und Hans Scholl, Christoph Probst, Alexander Schmorell, Willi Graf und Professor Dr. Huber in der Universität München. Tübingen 1946

HAECKER, THEODOR: Tag- und Nachtbücher 1939–1945. Erste vollständige und kommentierte Ausgabe. Hg. von HINRICH SIEFKEN. Innsbruck 1989

HANSER, RICHARD: Deutschland zuliebe. Leben und Sterben der Geschwister Scholl. Die Geschichte der Weißen Rose. München 1982

HEISSERER, DIRK: Der Name der weißen Rose. Mutmaßungen über einen Roman von B. Traven und die Flugblätter der Widerstandsgruppe. In: Börsenblatt für den Deutschen Buchhandel Nr. 43 vom 31. Mai 1991

HOCHMUTH, URSEL; JACOB, ILSE: Weiße Rose Hamburg. In: URSEL HOCHMUTH; GERTRUD MEYER, Streiflichter aus dem Hamburger Widerstand 1933–1945. Frankfurt a. M. 1969

HUBER, CLARA (Hg.): «Der Tod war nicht vergebens». Kurt Huber zum Gedächtnis. München 1986

Kurt Huber. Stationen eines Lebens in Dokumenten und Bildern. Hg. vom Kurt-Huber-Gymnasium München-Gräfelfing o. J. (1986)

HUCH, RICARDA: Die Aktion der Münchner Studenten gegen Hitler. In: Neue Schweizer Rundschau, 1949, Heft 5 und 6

JACOB, ILSE: Die Widerstandsgruppe Weiße Rose in Hamburg. In: ILSE JACOB, «Und die Verantwortung wär' dein». Hamburg 1963

JAHNKE, KARL HEINZ: Weiße Rose contra Hakenkreuz. Der Widerstand der Geschwister Scholl und ihrer Freunde. Frankfurt a. M. 1969

–: Entscheidungen. Jugend im Widerstand 1933–1945. Frankfurt a. M. 1970

JENS, INGE: Über die Weiße Rose. In: Neue Rundschau, 1984, Heft 1 und 2

JENS, INGE (Hg.): Hans Scholl, Sophie Scholl. Briefe und Aufzeichnungen. Frankfurt a. M. 1984. Hier benutzt: Taschenbuchausgabe, Frankfurt a. M. 1989

KIRCHBERGER, GÜNTHER: Die «Weiße Rose». Studentischer Widerstand gegen Hitler in München. München 1980. Selbstverlag der Universität

KISSENER, MICHAEL; SCHÄFERS, BERNHARD (Hg): «Weitertragen». Studien zur «Weißen Rose». Konstanz 2001

KLÖNNE, ARNO: Jugend im Dritten Reich. Die Hitlerjugend und ihre Gegner. Düsseldorf/Köln 1982

KLOSE, WERNER: Generation im Gleichschritt. Hamburg 1964

KNOOP-GRAF, ANNELIESE; JENS, INGE (Hg.): Willi Graf. Briefe und Aufzeichnungen. Frankfurt a. M. 1988

LILL, RUDOLF (Hg.): Hochverrat? Die «Weiße Rose» und ihr Umfeld. Konstanz 1933

MÜLLER, FRANZ JOSEPH: «Die Weiße Rose». In: IRENE HÜBNER, Unser Widerstand. Deutsche Frauen und Männer berichten über ihren Kampf gegen die Nazis. Frankfurt a. M. 1982

PETRY, CHRISTIAN: Studenten aufs Schafott. Die Weiße Rose und ihr Scheitern. München 1968

PRITTIE, TERENCE: Die «Weiße Rose» der deutschen Jugend. In: TERENCE PRITTIE, Deutsche gegen Hitler. Eine Darstellung des deutschen Widerstands gegen den Nationalismus während der Herrschaft Hitlers. Tübingen 1964

SCHNEIDER, MICHAEL C.; SÜSS, WINFRIED: Keine Volksgenossen. Der Widerstand der Weißen Rose – The White Rose. München 1993

SCHOLL, INGE: Die weiße Rose. Frankfurt a. M. 1953. Hier benutzt: erweiterte Neuausgabe, Frankfurt a. M. 1982

SCHÜLER, BARBARA: «Im Geiste der Gemordeten …» Die «Weiße Rose» und ihre Wirkung in der Nachkriegszeit. Paderborn 2000

VERHOEVEN, MICHAEL; KREBS, MARIO: Die Weiße Rose. Der Widerstand der Münchner Studenten gegen Hitler. Frankfurt a. M. 1982

VIELHABER, KLAUS; HANISCH, HUBERT; KNOOP-GRAF, ANNELIESE (Hg.): Gewalt und Gewissen – Willi Graf und die «Weiße Rose». Freiburg 1964

VINKE, HERMANN: Das kurze Leben der Sophie Scholl. Ravensburg 1980. Hier benutzt: Taschenbuchausgabe, Ravensburg 1986

WEISENBORN, GÜNTHER: Der lautlose Aufstand. Hamburg 1953

Weiße Rose Stiftung München (Hg.): Die Weiße Rose. Der Widerstand von Studenten gegen Hitler. München 1942/43. Ausstellungskatalog. München o.J.

3. Die Weiße Rose in der darstellenden Kunst

ADLON, PERCY: Fünf letzte Tage. Film, 1982

STRATENSCHULTE, WERNER: Dem Bösen widersagt. Willi Grafs Weg in die Todeszelle. Katholisches Filmwerk Frankfurt a. M. Dokumentarfilm, 1982

VERHOEVEN, MICHAEL; KREBS, MARIO: Die Weiße Rose. Film, 1982

ZIMMERMANN, UDO: Weiße Rose. Szenen nach Texten von WOLFGANG WILLASCHEK für zwei Sänger und fünfzehn Instrumentalisten. Uraufführung Hamburg 24. Februar 1986

Namenregister

Die kursiv gesetzten Zahlen bezeichnen die Abbildungen

Über den Autor

Harald Steffahn wurde 1930 in Berlin geboren. 1949 bis 1951 Volontariat bei einer Hamburger Tageszeitung. 1951 bis 1959 Studium der Geschichte und Politischen Wissenschaften in Hamburg und Berlin. Promotion zum Dr. phil. Journalistische Berufsstationen «Spiegel»-Archiv, Deutsche Presse-Agentur, «Die Zeit». Seit 1975 selbständig als Journalist und Schriftsteller. Publikationen u. a.: Du aber folge mir nach – Albert Schweitzers Werk und Wirkung, Bern 1974. Albert-Schweitzer-Lesebuch, München und Berlin-Ost 1984. Deutschland – Von Bismarck bis heute, Stuttgart 1990. Als Rowohlt-Autor schrieb Harald Steffahn die Bildmonographien über Albert Schweitzer (rm 50263, 1979), Adolf Hitler (rm 50316, 1983), Helmut Schmidt (rm 50444, 1990), Richard von Weizsäcker (rm 50479, 1991), Stauffenberg (rm 50520, 1994) und Bertha von Suttner (rm 50604, 1998).

Quellennachweis der Abbildungen

Moritz Kipphardt, München: 6
Ullstein Bilderdienst, Berlin: 8 (Foto: Heinz Schröter), 11, 19, 30/31, 66, 82, 91, 99
Bilderdienst Süddeutscher Verlag, München: 10, 16/17, 38/39, 75, 89, 104, 113
Aus: Wir schweigen nicht. Hg. von Klaus Drobisch, O-Berlin 1968: 12, 86, 119
Hohenloher Zeitung Öhringen: 14
Copyright © by Geschwister-Scholl-Archiv, Rotis: 23, 25, 27, 29, 33, 35, 62, 64, 69, 72, 95, 108, 109, 115
Erich Schmorell, München: 41 (Vorlage: Geschwister-Scholl-Archiv)
Aus: Christian Petry. Studenten aufs Schafott. München 1968: 43
Michael Probst, Seefeld-Hechendorf: 45 (Vorlage: Geschwister-Scholl-Archiv), 107
Anneliese Knoop-Graf, Bühl: 47 (Foto: Karl Bisa), 97
Reinhard Muth, Leimen/Heidelberg: 49
Schiller-Nationalmuseum, Marbach: 50, 52, 60 (Foto:Willi Klar, Frankfurt a. M.)
Clara Huber, München: 55, 102
Bildarchiv Preußischer Kulturbesitz, Berlin: 57 (Foto: Heinrich Hoffmann)
George J. Wittenstein, Santa Barbara, Cal.: 68; 79, 80, 81, 84 (Vorlagen: Geschwister-Scholl-Archiv)
Traute Page, Evanston, Ill.: 76 (Vorlage: Geschwister-Scholl-Archiv)
Eberhard Bethge, Wachtberg-Villiprott: 92
Stadtarchiv München: 100, 120
Zentrales Staatsarchiv Potsdam, Akte des Reichsjustizministeriums IV g 10a 5011/43: 123 (Vorlage: Geschwister-Scholl-Archiv)
Aus: Willi Graf. Briefe und Aufzeichnungen. Hg. von Anneliese Knoop-Graf und Inge Jens. Frankfurt a. M. 1988: 124
Anneliese Tuchel, Hamburg: 127
Marie-Luise Schulze-Jahn, Bad Tölz: 129 (Vorlage: Geschwister-Scholl-Archiv)
Universität Hamburg, Pressestelle: 130